Ana no duerme y otros cuentos

New York, NY.

Colección  Sudaquia

Para [illegible]

Ana no duerme y otros cuentos

Keila Vall

Gracias por leer

Keila Vall

Sudaquia Editores.
New York, NY.

ANA NO DUERME Y OTROS CUENTOS BY KEILA VALL DE LA VILLE

Ana no duerme y otros cuentos

Published by Sudaquia Editores
Collection design by Sudaquia Editores
Cover image by Violette Bule
Author image by Violette Bule

First Edition by Monte Ávila Editores Latinoamericana
2007

First Edition Sudaquia Editores: abril 2016

Printed in the United States of America

ISBN-10 194440709X
ISBN-13 978-1-944407-09-4

10 9 8 7 6 5 4 3 2 1

Sudaquia Group LLC
New York, NY

For information or any inquires: central@sudaquia.net

www.sudaquia.net

Índice

Bangalore

Llegó un día cualquiera cargando en la espalda su mochila grande, con los pies sucios y su piel barnizada por el sol callejero, de asfalto y polvo. Llevaba una camisa de las que uno llama hindú, bluyines apretados y sandalias planas de cuero. Hablaba de ciudades como si en todas tuviera una casa, y parecía venir de muchos lugares al mismo tiempo. Esa tarde yo entré al apartamento luego de que ella llegara, se presentara a los demás y se instalara en su cuarto: la primera puerta a la derecha luego del pasillo oscuro de atrás. Mi habitación daba hacia la sala y era una de las más iluminadas; era alargada y austera, los muebles se resumían a una cama individual de metal gris plomo que pronto eliminé para quedarme sólo con el colchón directo al suelo, y un clóset que se balanceaba hacia los lados cada vez que se intentaba abrir o cerrar. De resto, una pila de libros sobre un pequeño tapiz de Kashmir. Eso era todo. Allí está Federica, con sus cabellos rubios y ensortijados, su piel casi aceituna, sentada en el suelo de la sala, y frente a ella Belén y Lisa, medio acostadas sobre el colchón que hacía de sofá y que estaba cubierto por una manta de elefantes color verde y azul. En ese espacio que servía también de cocina no había nevera, al menos no en ese tiempo. Había una hornilla eléctrica sobre un mueble de gabinetes que contenía de un lado comida (más bien dulces, que comprábamos para atender nostalgias o que nos llegaban de algún lugar del mundo muy de vez en cuando) y del otro lado las medicinas, ayurvédicas o no, para males como la debilidad o el cansancio, el estreñimiento y las lesiones o los dolores musculares.

Sobre el colchón sentadas, Belén y Lisa parecían más espectadoras de Federica que sus interlocutoras. Como que estaban interesadas pero no tanto, como que intentaban ser amables pero no podían evitar mirarla desde afuera, desde ese lugar en el que todo lo distinto es sospechoso, en el que todo lo incoherente, molesta. Era evidente (y yo luego pensé que comprensible) su reserva ante la recién llegada, entre otras cosas porque con su condición anunciaba las incomodidades que cualquier persona aparecida de la nada puede traer a los que han estado durante largo tiempo en un lugar y tienen sus rutinas bien establecidas y sus espacios ya ganados. Esa tarde, en ese estilo ruidoso y desenvuelto que contrastó con el ánimo de la casa durante semanas o meses, y al que nos fuimos acostumbrando poco a poco (muy poco a poco), Federica les mostraba emocionadísima una carpeta de fotografías mientras les contaba de dónde venía. Había estado en Puna trabajando con un médico que inventó o patentó o compró una máquina (que costaba algo insólito, veinte, cuarenta mil dólares), capaz de percibir y plasmar en imágenes fotográficas el aura de sus pacientes. Hasta donde mis conocimientos llegan, los médicos ayurvédicos no hacen eso. Pero ella era su asistente, y nos mostraba (en algún momento me incorporé a la conversación sentándome junto a las dos amigas) cómo en las fotografías se evidenciaban los desbalances emocionales y físicos de las personas, dependiendo de la intensidad de la luz, o del color en sus órganos vitales y sus áreas del cuerpo. Algunas de las fotos tenían una pequeña leyenda en la que se suponía se explicaba la dolencia del paciente y la lógica de los colores o de las sombras captadas. Recuerdo que todo aquello me inquietó un poco, no me pareció confiable; no porque dudara de la relación que Federica intentaba demostrarnos, sino por la inconsistencia estilística de las imágenes entre sí y también entre las leyendas. La estética y el lenguaje cambiaban de lámina a lámina, lo que sugería, pensaba yo, debilidad en el sistema: la incoherencia en la forma me hacía dudar del contenido. Y es que el pasado académico pesa; la ciencia restringe las opciones a unas pocas, a las que parecen lógicas. Así va despojando al mundo de la mitad de su sentido.

Fede era la última en levantarse en las mañanas. Cada quien tenía su despertador o se las arreglaba para estar de pie a la hora, dependiendo de sus necesidades matutinas, pero a Fede había que despertarla. Ciertos días era necesario tocar a su puerta o incluso estremecerla un poco hacia un lado y hacia el otro, y preguntarle como si realmente fuera una opción ir o no: *Fede, are you coming?* No había posibilidad de elección. Se esperaba que todos saliéramos sin chistar de la casa a la hora pautada, y así lo hacíamos, alineados en lo que se ha dado en llamar fila india, para dirigirnos, con o sin sueño, con los ligamentos inflamados o no, a cumplir con la disciplina de la práctica. No hay práctica sin disciplina, nos decía Masteriji, y si algún día no quieren venir, vengan igual; nos enseñaba que lo único que no debíamos hacer era quedarnos durmiendo, que si estábamos muy cansados, llegáramos al salón y nos sentáramos en una esquina, para observar. De manera que debíamos estar ya cantando antes de comenzar los saludos al sol, justo a las seis. El caso es que con Fede era diferente, porque yo le preguntaba, y si tenía mucho sueño decía sin abrir siquiera los ojos que no, que: *see you later guys*, se daba media vuelta y no sabíamos de ella sino hasta que regresábamos agotados a las tres horas, luego de la rigurosa práctica. Así de indiferente parecía ser Federica. Otras veces se despertaba pero iba más tarde, entraba al salón por su cuenta. De vez en cuando comenzaba puntual. Yo generalmente aprovechaba la madrugada para leer algo de teoría, de filosofía o de religión hindú. Siempre esforzándome. Esa tendencia me avergüenza. Me parece que me ha vuelto aburrida, menos interesante que otra gente que fluye con las cosas que le ocurren, menos interesante que por ejemplo, Federica.

El caso es que yo me despertaba y me dedicaba a leer o a escribir en mi cuaderno, que compré al llegar luego de una larga búsqueda. Se parecía a los Caribe de una línea que usaba en la escuela primaria, pero tenía en la portada una fotografía setentosa de colores chillones y estética polaroid en la que aparecía una piscina con unas plantas alrededor y no me acuerdo si también gente tomando sol pero seguramente sí. Ese era mi cuaderno de anotaciones, el diario que perdí pocas semanas antes de venirme y en el que desde mi llegada a Bangalore fui registrando casi todo lo importante que leí, o que soñé y viví en el viaje.

Cada mañana, a diez para las seis, aun de noche, bajábamos las escaleras de cemento que daban a la calle, a veces abrigados porque hacía frío, generalmente hablando poco. Desde allí, caminábamos dos cuadras polvorientas con nuestras colchonetas y una pequeña toalla debajo del brazo. Cuando Emily estuvo en la casa ella también se levantaba muy temprano, antes que yo, para meditar y lograr ir al baño, de manera que cuando yo salía de mi cuarto e iba hacia la sala para prepararme un té o un café (casi siempre un café), me encontraba con su sombra sentada en posición de loto, y luego en la medida en que me acercaba y mis pupilas se acostumbraban a la poca luz, descubría los detalles. Que sus ojos estaban cerrados, que hacía pasar las cuentas de un *mala* en su mano izquierda y que Visnu era la imagen en el cobertor naranja y marrón sobre el colchón. El otro colchón de la sala que hacía de sofá.

La primera noche con Federica en la casa cenamos sólo las cuatro. Salimos del apartamento, bajamos las escaleras, caminamos las dos cuadras polvorientas de siempre, en el umbral de la puerta nos quitamos antes de entrar los zapatos llenos de tierra, y pasamos descalzas para sentarnos a la mesa. La comida en la casa del Maestro era deliciosa. Lisa solía comer poco, era muy austera, metódica en todo, y comía poco. Belén por lo contrario mostraba una fascinación incontrolable por la vida que ponía en evidencia cuando conocía a alguien del sexo opuesto, y cuando entraba a la cocina. En el medio de las dos, generalmente quedábamos Fede y yo, cada quien en su estilo.

En las mañanas casi siempre comíamos frutas y yogur, y unas arepitas al vapor que se llaman *idlis* y se acompañan con una crema de coco, perejil, cilantro, jengibre y ají picante, que Lisa no comía. Demasiado picante tan temprano en la mañana, aseguraba. Yo sí lo comía pero luego pasaba el día entero sintiéndome como un encendedor ambulante. También para el desayuno preparaban unas panquecas a base de un grano fermentado (tal vez supe algún día de qué grano se trataba) y que aunque se suponía que también se acompañaba con algo salado y picante, para disgusto de los presentes yo untaba con toneladas de miel y rellenaba con algo de yogur y frutas. Buenísimas. Al mediodía había que comer poco si uno quería mantenerse despierto durante el resto de la jornada. Especialmente cuando entramos al curso de *yoganidra*, que tenía lugar fuera de la escuela, a las dos de la tarde, y en el que debíamos permanecer una hora meditando en el umbral entre la vigilia y el sueño. Allí invariablemente Fede lo que hacía era roncar. Es decir que yo iba a meditar, o a intentar meditar, o a esforzarme por meditar, y ella a dormir la siesta.

Los domingos eran los días de descanso, podíamos comer lo que quisiéramos sin preocuparnos por pasar el día entero haciendo la digestión, y luego salir de paseo a conocer templos y a comprar libros. En esa ciudad hay una zona de callejones angostos y oscuros repleta de librerías especializadas en religión, filosofía hindú, yoga, medicina ayurvédica; allí pasábamos horas, explorando y comparando hallazgos hasta que aturdidos, salíamos con nuestros bolsos cargados de libros y claro, discos, que también había. Otros domingos nos íbamos al mercado y eso era, a mi parecer, lo segundo más divertido.

Cuando Belén y yo nos hicimos *socias*, los domingos los pasábamos en el mercado. En una demostración más de su afán por lo mundano, con sólo pisar el lugar Belén quería comprarlo todo: ¡esto es demasiado, es un lujo, una exquisitez!, decía. Que si fulana estaba a punto de casarse y seguro que sus damas de honor se enloquecerían con esta tela de seda, o mejor con aquélla. Que si los cojines bordados de espejitos, las tallas de Ganesha, el incienso de Sai Baba. Yo, que para los negocios soy como soy, tenía que controlarme pues de lo contrario dedicaba la visita entera a comprar regalos. Me era tan difícil como a ella desprenderme de la feria de olores, colores y sabores que envolvían nuestros sentidos en cada visita al mercado, que tomaba el día entero. Vagábamos por los callejones, entre los buhoneros locales, pasábamos horas sentadas en el piso de las tiendas, maravilladas mientras los vendedores nos mostraban rollo tras rollo las más hermosas sedas bordadas a mano, nos ofrecían té y nos mostraban más. Eso podía durar una eternidad, pero lo usual era que se acabara una vez que nos descubríamos sepultadas por el peso de las telas extendidas sobre nuestras piernas cruzadas ya entumecidas, cuando estirarnos se convertía en un acto de supervivencia y la única salida ante la amenaza de petrificación. Luego llegaba el momento de la verdad, decidir qué telas llevar y para qué. Una vez en la casa repetíamos el ritual mostrando tesoro por tesoro a los demás, que con seguridad habrían regresado horas antes y ya se preparaban para dormir.

Esa primera noche, sentados a la mesa y cada quien frente a su *tali*, escuchamos los cuentos de Federica. Algo sobre su hijo, que no recuerdo cómo se llama porque siempre se refería a él como *my son*; sólo así. Creo que dijo que tenía ocho años y que sus ojos eran aun más verdes que los de ella. Federica tiene un *flat* en Londres y su familia vive en el sur de Italia. Cuando no reside en alguno de estos dos lugares, viaja en una *van* Mercedes Benz y vende *tipis*, unas chozas indígenas norteamericanas que parecen unos conitos y que al parecer estaban de moda en las fiestas *rave*. Recuerdo que yo no entendía, pero tampoco pregunté, para qué hacían falta unas chocitas indígenas en esas fiestas *rave*. Federica quería llevar su hijo a Bangalore, que aprendiera cómo es la India y que abriera su mente, así mismo decía: que abriera su mente; que le contrataría un profesor particular para que no perdiera clases. Cuando ella comenzaba con eso yo sólo pensaba lo difícil que debía ser tener a Fede como mamá. A los pocos días de llegada mencionó también que deseaba aprender danza clásica india y el Maestro le recomendó una escuela, no sin antes advertirle que se proponía dedicar su tiempo a demasiadas cosas a la vez y que de seguir con tantos proyectos ninguno le rendiría resultados positivos. Nosotras al tema de la danza no le prestamos atención, pues todo sugería que con Fede cada día sería algo distinto y llegamos a pensar que hablaba de proyectos por hablar.

Primero fue Federica bebiendo su propio orine de un vaso de plata luego de leerse un libro sobre *vajroli*. Todas las mañanas, cuando ella entraba al baño con su recipiente en la mano, los demás cruzábamos miradas en silencio, chocados por la imagen repulsiva que nos figurábamos ocurría tras la puerta. Recuerdo que cuando sentimos suficiente confianza le hicimos bromas sobre esa práctica de la que se convirtió tan pronto en militante, y un día se ofendió. Esa fue la primera vez que la noté molesta.

Luego fue su repentino interés por la comida cruda, que se convirtió en una revolución y una incomodidad para Masteriji y Laksmi, nuestra familia en esos meses en Bangalore. En aquel tiempo, mientras nosotros comíamos lo que nos servían en la casa, ella pedía que le rayaran zanahorias y chayotas, y llegaba a la mesa con unos granos que germinaba en su propia habitación, que olían muy mal. Luego del despliegue, de hablar sin parar de los beneficios de la comida cruda y de la oxigenación de los alimentos durante la digestión y no recuerdo qué más, generalmente quedaba con hambre así que se dedicaba a las lentejas, al *chapati* y a los vegetales, con lo que terminaba comiendo el doble que los demás. Así era Fede.

Desde la casa había que caminar dos cuadras y media para llegar a la avenida principal del barrio. Cruzándola se llegaba a un café de Internet al que comenzamos a ir casi todos los días, luego de almorzar y antes de los mantras, que cantábamos desde las cuatro de la tarde guiados por nuestros maestros. En ese país los costureros son muy populares, representan algo muy lejano a la imagen elitesca que yo podía haber tenido de tal oficio. *Nuestro tailor* (a quien a partir de cierto momento comenzamos a pedirle nos confeccionara copias de la ropa de cada una, hasta que quedamos todas uniformadas, aunque en colores y tallas distintos), quedaba en la avenida principal a mano derecha subiendo, pasando un terreno baldío donde la gente se detenía a hacer sus necesidades, y más allá del bar de mala muerte, en el que sólo se veían hombres y al que por supuesto nosotras nunca entramos. Ni Fede.

Para cambiar dinero había que ir al centro, es decir, tomar un *rickshaw*, un carrito como los heladeros viejos (de los de tres ruedas), generalmente muy adornado, que se desplaza a toda velocidad por las calles y avenidas, esquivando vacas y carros y otros taxis semejantes, tocando corneta sin parar y levantando polvo, mucho polvo. Las vacas en efecto, como siempre había escuchado, viven echadas en la mitad del camino y desde el caos observan impávidas, con esa expresión humana en sus ojos, el desastre citadino. Se dejan ver, adornar y cuidar. En esa ciudad, la ciudad de los jardines, hay muchísimo tráfico y el aire es denso en las calles más transitadas.

Generalmente los *rickshaws* son seguros. Es raro pasar un mal rato o tener inconvenientes a consecuencia de sus malabarismos o de alguna ofensa por parte de sus choferes. Se supone que son seguros. Pero no siempre es así. Recuerdo que una noche Fede dijo que salía a comprar pizza, que estaba cansada del curry, que tenía antojo de comida occidental, de salsa de tomate, de queso, dijo. Y podía ser cierto, pero en aquel momento dudamos de su plan. Lisa, Belén y yo sabíamos que Federica fumaba marihuana escondida, y Lisa y yo estábamos seguras que Belén a veces fumaba con ella. El caso es que cuando Fede salía sola misteriosamente, pensábamos que se había ido a comprar hierba, o a fumar en algún lugar. Esa noche a la hora de la cena se despidió y subió a un *rickshaw*. Me parece que pensamos que había ido a una fiesta. Y que nos preguntamos con quién habría ido, pues ninguna de nosotras tenía amigos en esa ciudad. O tal vez fue ella quien nos dijo luego que había estado en una rumba; o que había intentado ir a una pero no llegó. De lo que sí estoy segura es que al día siguiente nos despertamos como siempre y que no nos extrañamos de no verla rondando por la casa. Que no abrió la puerta de su cuarto y supusimos que estaba trasnochada. Al regresar de la práctica me acerqué a su puerta y la escuché adentro. Abrí y la encontré acurrucada en su cama. Todavía vestida con la ropa del día anterior, semicubierta por una sábana, con la cara escondida dentro de la almohada, y emplastes de tierra y sangre en la planta de los pies. Lloró sin emitir palabra comprensible hasta que comencé a llorar yo también, o tal vez hasta que mi abrazo comenzó a asfixiarla.

Entonces me dijo que saliendo de un bar del centro, luego de hacer su compra (nuestras sospechas eran ciertas), el tipo que la esperaba para traerla de vuelta le mencionó algo de una fiesta. Fede me dijo, como intentando comprender su propia suerte, que seguramente el hombre conocía la fama del lugar nocturno al ella misma lo había dirigido y del que salía pronto y apresurada; que probablemente habría pensado que ella estaba buscando diversión. Así me dijo, justificando al tipo. No mencionó si aceptó o no el ofrecimiento. Me contó que una vez subida al *rickshaw* el conductor comenzó a manejar por calles y callejones que ella no había visto nunca. Muy oscuras. Que ella le hablaba y él no respondía. Que mientras se alejaban de la zona transitada e iluminada ella le pedía que por favor se detuviera y él no le hacía caso. Así estuvieron hasta que Fede intuyó que salían de la ciudad.

Recuerdo que en este punto del cuento me insistió, como excusándose, que al principio ella de verdad pensaba que era un atajo lo tomaban, pero que en cierto lugar se dio cuenta que no. Iban muy rápido, todo estaba oscuro. Fede estaba aterrada e intentó hacer que el hombre le prestara atención. Le gritaba que *shanti, man*, que *peace*, pero el tipo no le respondía. Era como si viajara solo. Entonces cuando entendió que él, con seguridad, paz no iba a darle, intentó saltar del vehículo en movimiento. Pero iban demasiado rápido. Recuerdo que en este punto yo me pregunté si eso de *shanti, man* era una expresión inventada por ella o si la había escuchado antes en la India. ¿Sería cosa de turistas intentando hacerse pasar por peces en el agua y evidenciándose en cambio como seres exóticos en una pecera impenetrable, o los indios realmente hablan así? Este pensamiento fue muy breve, ella me contaba que finalmente se atrevió a saltar y que entonces tuvo que correr, que se le rompieron las sandalias, que sintió las piedritas y la tierra bajo sus pies hasta que dejó de sentirlas, y que lo único que importaba era el sonido de las pisadas del hombre, que continuó tras ella. Cuando pensó que el tipo se había cansado de seguirla, corrió más. Fede, que llevaba ya un rato sin llorar, en ese momento se volvió contra la pared formando un ovillo tembloroso. Ahí noté que la almohada se había teñido de color marrón.

Federica me dijo que caminó sin rumbo. Gritó y pidió auxilio pero nadie le respondía. Era de noche y pensó que no había nadie en las calles, pero en cierto momento notó que los bultos a las orillas de la carretera por la que ya casi se arrastraba llorando y sin fuerzas, se movían. Eran personas. Familias enteras durmiendo en el suelo, bajo tiendas improvisadas. Sombras color pardo, indistintas, que se le anunciaban como la posible prolongación del peligro. A partir de ese momento abandonó la esperanza de conseguir ayuda y dejó de pedirla. Caminó en silencio, con las lágrimas secas y entierradas, pegadas a las mejillas, hasta que salió el sol. Más tarde, con las primeras luces, distinguió a lo lejos una figura de colores naranja y lila desgastados que caminaba hacia ella. Era una mujer joven, que iba también descalza y llevaba puesto un *sari* opaco por lo que luego Fede identificó como cemento acumulado por el trabajo en construcción. Allá las mujeres de las castas más bajas trabajan como albañiles, transportando cemento y baldes de agua, cargando largos maderos sobre los hombros. Casi siempre llevan joyas; sin importar su condición social llevan joyas, más o menos brillantes, de oro más o menos puro. Los anillos en el segundo dedo de cada pie indicaban que la mujer estaba casada. Fede me dijo que la desconocida le habló pero que ella no comprendía, no hacía más que mirar hacia los lados. Entonces la mujer detuvo a un conductor que pasaba por ahí y le pidió que la llevara a la casa, pero al intentar subirse al *rickshaw*, Fede no tuvo fuerzas para hacerlo sola. Se aferró a la joven, quien sin necesidad de palabras terminó acompañándola hasta la puerta de nuestra casa. Las dos iban calladas, una junto a la otra, sintiendo el tiempo pasar. Sin nada que decir y sin poder decir nada.

En este momento advertí que Lisa y Belén habían entrado a la habitación y estaban sentadas en el piso, calladas, también con los ojos inundados. Recuerdo que pensé que las cuatro estábamos tan solas y tan lejos del mundo. Hubo un silencio largo. Entonces Federica salió de su escondite, y sentándose por primera vez en la cama mientras se secaba el rostro, nos dijo que ya todo había pasado, gracias a Dios ya estaba con nosotras. Al fin. Que tenía hambre. Que no le contáramos nada a Masteriji. Ese fue el primer día que la vi deshecha, llorando. Y el día en que pensé emergería de la tristeza para rehacerse de nuevo.

El cuarto de Federica era el más lindo de todos. Sobre el suelo extendida había una esterilla de paja, y sobre ella una colección de piedritas, de cristales, un pequeño altar con tallas de Shiva y de Laksmi en madera de sándalo, y un equipo digital de música con cornetas y demás. Recuerdo que hubo una época en la que le dio por poner mantras a todo volumen a la hora de despertarnos y nos tenía aturdidos. La mañana debía ser silenciosa, acordamos los demás por votación unánime, así que ella tuvo que bajarle el volumen a su celebración matutina. Yo entraba poco a su habitación, pero supe que dentro del clóset guardaba *saris*. De todos los colores. Antiguos y nuevos. De seda y de algodón. Cuando comenzó a tomar sus clases de danza (porque en efecto se inscribió en una escuela de danza clásica india), usaba sus *saris* de vez en cuando. Se mandó a hacer unos cascabeles para los tobillos y apenas aprendió los primeros movimientos no sólo nos enseñaba el precioso juego de las miradas y los *mudras*, los ojos hacia un lado y hacia el otro mientras juntaba y separaba los dedos de las manos, sino que comenzó a regalarnos presentaciones, con música y cascabeles y demás. Por supuesto que a veces Federica estaba tan cansada que no podía levantarse al día siguiente.

Lisa y yo llevábamos más o menos dos meses en la escuela, y Federica uno y algo más, cuando llegó Will, un hombre de unos treinta y seis años con pinta de físico culturista que decía que venía de un monasterio budista cerca de Nueva York. Will meditaba en su cuarto todas las madrugadas, a las cuatro. Era fácil saber que se había despertado porque encendía un incienso que impregnaba de un olor penetrante toda la casa. Recuerdo que nos fue invitando una a una a la meditación y que una a una respondimos que sí, pero que ninguna fue. Había algo incongruente que pronto comenzó a tomar forma. Él se quedó poco tiempo, comenzó a tomar escondido, intentó seducirnos a todas (algo que sentadas sobre el colchón verde y azul de la sala descubrimos cierta tarde, cuando Lisa contó confidencialmente que Will dice que está enamorado de mí y las demás dijimos lo mismo). Pronto se convirtió en una presencia extraña, en una sombra. El deterioro fue muy rápido. Un día lo encontramos ebrio frente al bar de la esquina; esa misma tarde reapareció a las cinco dando tumbos y de nuevo a las dos de la madrugada, golpeando la puerta y vociferando que abriéramos. No lo dejamos entrar. Recuerdo que Fede intentó interceder por él, que nos aseguró que necesitaba de nuestra ayuda. Nos habló de *ahimsa*, ¿qué puede ser más importante para el yoga que la compasión? Pero nosotras ya no queríamos vivir con él. Terminó expulsado, en parte porque estaba prohibido que los estudiantes de la escuela bebiéramos, pero sobre todo porque su comportamiento ponía a Masteriji y al instituto en entredicho ante los vecinos. Por suerte pronto las cosas regresaron a la normalidad.

Nosotras seguimos con nuestra rutina y la única diferencia fue que Fede comenzó a despertarse muy temprano. En ese tiempo, cuando yo salía de mi habitación en la madrugada, la encontraba sentada en el suelo, escribiendo o dibujando a la luz de una vela, y a partir de cierto momento rodeada de varias. El piso en esa esquina de la sala quedó marcado por la cera derretida hasta mucho tiempo después, convirtiéndose en un hito doloroso del paisaje que nos rodeaba, que ahora entiendo, había sido quebrantado para siempre. Poco a poco nos dimos cuenta que no era que se despertaba temprano, sino que Fede no dormía durante la noche, se iba directo a la práctica, trasnochada, cuando todas las demás ya estábamos listas para salir. Entonces llegaba al salón y se quedaba sentada en una esquina, mirando algo que no éramos nosotras, atravesando nuestras siluetas con los ojos sumergidos en algún callejón oscuro de Bangalore.

Fede comenzó a comer mal. Había días en los que se devoraba su *tali* y luego repetía otro igual, para irse a dormir la siesta y no despertar no sé hasta qué hora, pues las demás dormíamos cuando ella se ponía de pie y comenzaba su ritual de escritura. Otros días Fede ni portaba por la cocina. Yo no sé a qué hora comía, cuándo se bañaba, si aun iba al café de Internet para chatear con su hijo o no. El problema, su descontrol, concluimos las otras tres luego de una reunión secreta y de emergencia que celebramos en mi cuarto, se debía a lo de los pies. Fede no podía hacer su práctica por lo de los pies. Durante semanas no había logrado pararse sobre la colchoneta, o mejor dicho cuando lo hacía, lloraba. Al comienzo pensábamos que le dolían las heridas (seguro le dolían), y que por eso no sólo no hacía yoga en las mañanas, sino que había dejado de bailar. Recuerdo que las dos o tres veces que intentó retomar la disciplina en la que el Maestro depositaba sus esperanzas de nuestro camino espiritual, ocurrió lo mismo. La vimos dar media vuelta, abandonarse, atravesar el salón con la barbilla incrustada en el pecho, las dos manos tomadas a la altura del vientre y los hombros tensos, elevados hacia las orejas, pisando con los bordecitos externos de los pies hasta entrar al baño. De allí no salía más. En ese tiempo todos esperábamos por su recuperación para volverla a ver como siempre. Masteriji comenzaba a notarse preocupado, pero nosotras sabíamos que no la expulsaría a pesar de sus ausencias en clase, de su indisposición.

En algún momento Lisa comenzó a madrugar para estirar y calentar un poco antes de salir a la escuela pues comenzó a sufrir de los tendones, algo que ponía en riesgo su futuro como profesora de yoga y sobre todo como practicante de ásanas. Entonces yo salía de mi habitación y ya no era Emily meditando sino Fede en una esquina, con sus velas y el rostro oculto entre las hojas del cuaderno, y Lisa acostada boca arriba, con las piernas abiertas como una tijera, moviéndolas hacia un lado y hacia el otro en forma circular, rodeada de un vaho de eucalipto y otras hierbas para la tendinitis. Hubiese sido una imagen hermosa, esas sombras en movimiento, ese tono dorado en las facciones de las dos, pero no lo era. Lisa se deprimió mucho, decía que no estaba hecha para la práctica, que no podría nunca hacer las posturas que nosotras lográbamos con facilidad, que lo mejor era acostumbrarse a la mediocridad a la que las precarias habilidades de su cuerpo la confinaban. En otros momentos de frustración, por los que pasamos cíclicamente todas durante nuestra estadía en Bangalore, el Maestro observaba, y guardaba silencio. Pero esto era diferente.

Federica empeoró. A partir de cierto momento dejó de salir de la casa. O eso creíamos y sí salía, pero sola y escondida. Nunca supimos con certeza. Comenzó a escribir o a dibujar el día entero. O cada vez que yo la veía me parecía que estaba escribiendo o dibujando. No soltaba su cuaderno. Lo celaba y se aferraba a él si notaba que alguien intentaba mirar sus páginas o le interrogaba sobre su contenido. Un día Laksmi le preguntó qué tanto anotaba en él y ella no apareció por la cocina en tres días. Temía que se lo quitaran. Tuvimos que llevarle la comida a la habitación. Entonces le hablábamos y apenas levantaba el rostro para respondernos. Era como si ella viviera sola en esa casa de doce cuartos, y como si nosotras nos hubiésemos quedado huérfanas, sin motivos para celebrar. Un día me asomé a su habitación y descubrí que la música la había guardado y que los cristales y las deidades se habían cubierto de polvo. Intentamos animarla. Le compramos el incienso de coco que olía a bronceador y que al comienzo nos producía tanta risa; su helado preferido, de chocolate y caramelo, que al salir del abasto le llevábamos corriendo, no se fuera a derretir. Una camisita bordada de lo más linda. Le compramos discos compactos de música. Pero lejos de verla mejorar comenzamos a notarla cada vez más ausente. Angustiadas, decidimos dejarla tranquila. Entonces fue acompañarla en silencio. A partir de cierto momento Fede comenzó a salir de noche y no regresaba sino hasta la madrugada. Casi no nos hablaba.

Uno de mis últimos domingos en Bangalore me pareció verla en el mercado, en los pasillos de libros. No entendí nunca cómo llegó allí, en qué momento había salido de la casa, ni porqué se fue sola. Momentos después también me pareció ver a Will, pero de eso nunca estuve segura pues la imagen del hombre alto y fornido se me perdió en la multitud. Esa noche la encontré en la sala, de espaldas a la puerta, preparándose un té en la cocinita eléctrica. Le pregunté sobre los libros que había comprado, que cómo le había ido, mientras me acercaba para mostrarle "mi botín". Entonces levantó el rostro y se me quedó mirando en silencio, con el rostro vacío. Como si yo hubiese pronunciado esas palabras en un idioma extraño o como si no me conociera. Ahí me di cuenta de los círculos oscuros en su piel bajo los ojos verdes, de sus facciones alargadas, de su palidez más bien cenicienta. Entonces aprendí que la gente color aceituna se vuelve gris cuando está triste. Esa fue la primera vez que la vi sombría, lejana. Y también una de las últimas veces que supe de ella.

Salimos a la calle a buscarla. Hicimos guardia en los libreros, recorrimos varias veces el mercado. Preguntamos en hoteles y en bares; Belén le escribió a su hijo para tener noticias o dárselas. Cuando perdimos las esperanzas, nos sentamos a esperar. Pero en el fondo sabíamos. Sabíamos que Federica, nuestra Fede, nos había abandonado mucho antes de que su presencia dejara misteriosamente la casa para no volver. Mucho antes de ese día en que cruzó la puerta dejando atrás sus tesoros polvorientos y opacos en el suelo y en el clóset de su habitación. A veces sueño que ese diario que yo perdí está en sus manos. Que se lo llevó antes de irse. Tal vez necesitaba más páginas para continuar dibujando, contando esa historia que velaba silente. Tal vez necesitaba recordar lo que yo he olvidado, y por eso se lo llevó.

Desde el primer día en Bangalore me sentí en mi casa, en mi país. Como si hubiera estado allí antes, como si las mujeres enrolladas en esas telas de colores brillantes y adornadas con oro, como si el incienso que se siente en las viviendas y los templos de cada calle, el olor de los basureros, las vacas atravesadas y los pies siempre sucios; como si las ofrendas que las amas de casa dibujan con tiza en las puertas de sus hogares cada madrugada para hacer del día uno auspicioso, hubieran vivido en mi memoria desde antes del tiempo. La ciudad no tiene ningún detalle especial. Aparte de los jardines, es una metrópolis común y corriente. En la India para decir que sí la gente mueve la cabeza hacia los lados, no en un gesto de negación sino como acercando las orejas a los hombros. Al principio uno no entiende nada, pero luego termina asintiendo con el mismo gesto.

Ana no duerme

Esta mañana se despertó con la sensación de no haber dormido. La mujer del piso superior no ha dejado de llorar en semanas. O tal vez ya debería medir el insomnio en meses, concluyó mientras se servía un café negro y le agregaba tres cucharadas rebosantes de leche condensada. A través de la ventana observó el paisaje de siempre. En el parque, los ancianos del dos cero dos sentados en el banco; la mujer gorda del tres con el coche. El kiosco de periódicos del atareado señor Andrés. Al mirar el cielo pensó que llovería y que sería necesario el impermeable. Abrió la puerta del apartamento y asomó sólo un brazo para tomar el periódico del suelo. Se sentó en el sofá y con una tijera recortó la fecha, que más tarde guardó en un archivo especial para esos papeles alargados. Apiló el periódico en la torre correspondiente. Se vistió, y se maquilló poco; terminó su café, ya frío, introdujo los pies en los zapatos y salió del apartamento. Tarde, otra vez.

Bajó por las escaleras de caracol que abrazan el ascensor para no esperar. No escuchó el mecanismo funcionar; durante las últimas semanas el ascensor se había dañado con frecuencia. Al llegar a la calle notó que no llevaba los documentos. Subió corriendo, de nuevo usando los escalones para no esperar por el ascensor, y entonces vio el movimiento a través de las barandas que protegen los peldaños y las rejas del elevador. El pensamiento o el movimiento la distrajeron, y allí, justo antes de llegar al cuarto piso, falló un escalón y se dobló el tobillo. No se detuvo. Entró, tomó lo que había olvidado y continuó, pensando que no hay dolor en el movimiento. El tobillo no le molestaba aún. Corrió escaleras abajo, caminó de prisa su calle, la siguiente, y apenas a una cuadra de la estación comenzó a llover.

Sintió las gotas de lluvia en el rostro pero no intentó cubrirse. Había olvidado el impermeable y se propuso no lidiar con el agua, que ya se deslizaba por sus mejillas hasta el mentón. Una vez bajo tierra, ya en calma, respiró el silencio y en un impulso eléctrico recordó la cafetera: imaginó el recipiente estallado, un incendio en el apartamento, o el café quemado y adherido en el fondo de la jarra. Eligió la última visión y pensó que habrá que comprar una nueva, una jarra nueva. En el pasillo de la estación, como todos los días, contó cada paso intentando no tocar con los pies los límites entre cuadro y cuadro del suelo oscuro. Pisando un cuadro sí, uno no. Al mismo tiempo, como todos los días, se dejó seducir por la visión: el acercamiento a la encrucijada, a la escalera herida en dos destinos que se le antojan siempre opuestos. Abajo el tren es el mismo pero como todos los días se preguntó qué lado tomar. Pie derecho, escalera derecha; pie izquierdo, escalera izquierda. Al acercarse a las vidas posibles, *al dictamen final*, observó con mayor nitidez el anuncio publicitario, apreció con detalle el cuerpo de la mujer tatuada, desnuda, en el afiche. Cada vez que pasa por allí observa el ganso en la nalga y el costado derecho de la modelo, y luego muy por encima, lee el texto como si fuera la primera vez. Algo sobre los amores y el

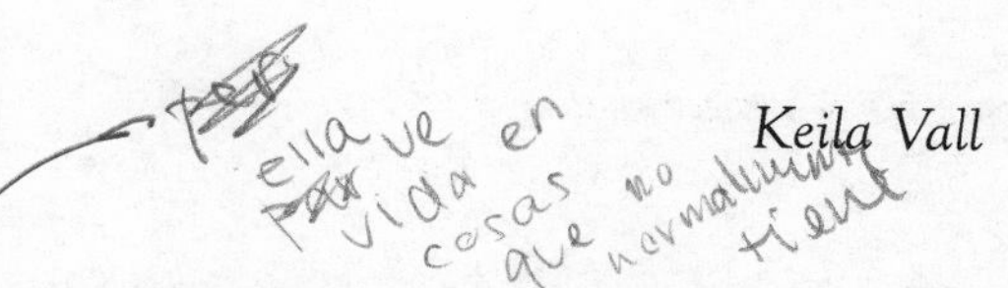

estigma que dejan en la piel. Bajó utilizando los peldaños del lado izquierdo: siempre baja del lado que le toca.

Aquella estación le pareció un animal enorme. Latía al ritmo de la materia en movimiento, seres viscosos. Jamás me haría un tatuaje así ¿Un ganso? Nunca. De pronto la voz anunció el retraso por fallas en el sistema. Ana pensó lo que siempre piensa cuando el tren no llega: alguien se lanzó al andén. Alguien quiso romper el tiempo, se dice, como reprochando la falla de un reloj, el mecanismo roto en una máquina que se detiene. Sujetó el maletín con fuerza, respiró profundo y otra vez comenzó a darle con la uña a esa zona desgastada del abrigo. Observó a lo lejos un asiento disponible y caminó pensando que alguien lo tomaría antes que ella y también que si es para mí, cuando llegue al final del corredor estará libre. Ana caminó hacia el asiento. Ana se desplazó pesada más allá de la liviandad de su cuerpo. Imposible dormir con los ruidos reiterados a las dos, a las tres de la madrugada. El sufrimiento de la vecina pesa, cruje en el suelo que es mi techo; algo así se dice con variaciones insomnes cada mañana.

Entonces pensó en Armando: cómo dormir con este sufrimiento *encima*, le preguntó Armando la última noche. Pero no era una pregunta. Ya frente a la silla aún vacante, Ana lo recuerda levantándose de la cama, saliendo de la casa desesperado, diciendo no aguanto el llanto. Necesito dormir. Tú me gustas, Ana, pero necesito dormir. Así mismo: tú me gustas, y luego, nos vemos cuando nos veamos. Recordó a Armando cruzando la puerta y se preguntó por qué ella no ha llorado su ausencia: esa madrugada se dio media vuelta luego del portazo, con una almohada en la cabeza intentó no escuchar más el llanto de la vecina y no mirar el vacío a su alrededor mientras frotaba un pie con el otro hasta no saber más. Ahora, sentada en el andén se pregunta qué será de Armando, cuándo lo verá de nuevo. Y también si es que lo va a ver. Luego se pregunta si quiere verlo.

Ana desplazó su peso hacia adelante, colocó su maletín en el espaldar de la silla y se sentó en el borde, recostada del rectángulo oscuro que ahora servía de apoyo; sintiendo sus bordes clavados en las escápulas. Entonces al mirar hacia el suelo divisó una marca, un pegoste: voy a llegar tarde, voy a llegar tarde, voy a llegar tarde, se decía mientras con la punta del zapato derecho comenzó a empujar, raspar, despegar esa goma, ese pegoste en el piso. Quedó absorta mirando el ir y venir del zapato; sintiendo *eso* allá abajo cada vez más suave, entregado ante la insistencia de la planta de su pie. Ante su impaciencia. Pronto el suelo mostraba solo una mancha tenue, y su zapato, el pegoste. Ana respiró profundo, se sacudió. Un gesto de malcriadrez. Un impulso imperceptible al mundo subterráneo que la rodeaba. Estoy llegando tarde. Entonces, en el movimiento y sin querer, detalló a la mujer sentada junto a ella.

Notó cómo la mugre difuminaba los colores y las texturas de su piel y de su ropa, admiró ese cuerpo extraño, sin fronteras. Bajo el disfraz confuso intuyó una mujer joven. Contempló lo anárquico en su cuerpo cubierto de abrigos, detalló el bastón que llevaba en su mano izquierda y la carretilla cargada de lo que se le antojaron fragmentos de historias de otros. La materia pastosa en el zapato, la mano ansiosa y el abrigo gastado donde ella, la mano, va; los relojes y el destino del día, quedaron suspendidos por un momento en el que para Ana sólo existió la mescolanza de objetos abollados y sucios, el amasijo que intentó detallar sin ser notada, ocultando su insistencia mediante un leve movimiento del torso hacia atrás. Ana es pequeña; siempre se escabulle, pasa desapercibida cuando quiere.

Puesto que estaba el maletín no era posible desplazarse del todo, pero logró atrasar el cuello, la cabeza, y mirar desde arriba y sin ser vista, el carrito. Allí estaba Ana, borrada tras el enredo que era la mujer vecina. Entonces pudo ver mejor el aparato de radio, el recipiente plástico color azul y un oso de peluche vestido con una camisa desleída que llevaba inscrita en el pecho las palabras *¡¡¡recupérate pronto!!!* Los pasajeros en la estación continuaban moviéndose, había cada vez más gente agolpada en el andén. Superada la breve dispersión, luego del precario roce con lo que la cercaba y siempre detesta (las personas amontonadas, empujando: la gente), Ana volvió a su vecina y se detuvo en sus pies, o más exactamente en los tobillos cubiertos con calentadores rosados de *ballet*. Entonces, atraída por el movimiento de unas manos inquietas, distinguió entre ellas un sobre maltratado. Ana observó el modo en que la mujer sostenía el sobre entre los dedos índices, medios y pulgares; el modo en que lo manipulaba, con movimientos circulares, como acariciándolo, puliéndolo sin parar. Entonces recordó algo incómodo. Inhaló con fuerza, contrajo los hombros, levemente (tampoco se notaba ahora este gesto), tomó aprisa el borde de su abrigo y se sostuvo de él. Notó que la mujer repetía, murmuraba algo en una letanía incomprensible. Algo así escuchó Ana: mis papeles, que no se pierdan mis papeles.

Seducida por el cuadro ante ella, por los sonidos, seguramente por el movimiento, no logró reaccionar a tiempo: en un impulso, en un gesto que interpretó como violento, la mujer volteó a mirarla y clavando sus enormes ojos en los de ella le preguntó: ¿Qué carajo miras, niña? Entonces Ana notó las pupilas magnificadas gracias a los lentes de aumento que funcionaban como lupas y que hacían del rostro de la mujer algo espantoso. Ana emitió un grito breve, más bien una exhalación con un sonido que nadie notó; demasiada gente en el andén. Ya la mujer le tomaba la muñeca izquierda con fuerza y en un segundo más Ana saltaba e intentaba acercarse al borde del andén. Ana es pequeña, no se hace notar, pero el cúmulo de personas, los paraguas, la suma de sudores y horarios y planes por cumplir, no le permitieron alejarse lo suficiente como para dejar de escuchar: ¿Qué miras?, ¿por qué carajo miras, niña? Algo así. De pronto la mujer quedó en silencio, con su mirada clavada en otro lugar, probablemente suspendida de algún recuerdo. Pero esto Ana no lo vio, ya el tren se escuchaba llegar y ella se acercaba a la línea amarilla en el borde del andén.

La estación comenzó a latir de nuevo y la mujer y el mal rato quedaron atrás. Ocurrió lo de siempre: las personas comienzan a empujar, a murmurar, a desplazarse y comprimirse hacia las puertas finalmente abiertas, y Ana, tan liviana y tan pequeña, es transportada sin proponérselo hacia el interior del vagón. Un algodón de polen flotando en el aire. Así, sin notarlo y sin ser notada, termina siempre en el centro, embutida entre los demás viajeros. Esta mañana, a través de una mínima ventana entre los bultos que la rodeaban, Ana observó la mujer aún sentada, prácticamente sola en el corredor. Entonces descubrió su maletín abandonado sobre el asiento.

Esto es lo que recuerda Ana: ella y la mujer de los harapos cruzan miradas; en eso aquélla levanta su mano derecha mostrando su palma con los cinco dedos extendidos en un gesto que bien hubiera podido significar hasta luego, o ni lo intentes, o espera, o, seguramente, detente; pero que es algo más, pues también cuatro dedos de su mano izquierda están extendidos; el pulgar no se ve. En eso la mujer flexiona dos dedos de su mano derecha, el pulgar y el más pequeño, y deja estirados los otros tres. Su mano izquierda ya no se ve. Luego la mujer comprime la mano derecha en un puño, y lo mueve hacia delante y hacia atrás, con lo que evoca en Ana el recuerdo de un juego infantil para decidir suertes y destinos, y también la imagen de su prima Anaís sentada en los escalones de la casa de la abuela. Su mano derecha no se ve. Ana recuerda que empujó a los pasajeros que la rodeaban. Pidió que se movieran, que por favor quítese señora, por favor que se me quedó algo ¡Permiso! dijo varias veces mientras empujaba. Nadie se inmutó. Tal vez nadie logró oírla. Era demasiado tarde. Cuando las puertas se cerraron, ya el maletín se mostraba desplegado sobre los muslos de la mujer, que rodeada y protegida por el silencio del andén se disponía a escrutarlo. Comenzaban a llegar nuevos pasajeros. Eran las nueve y media.

De pie en el vagón, ya a punto de descoser el botón del abrigo, casi despegando la minúscula rueda plástica oscura, martirizada no se sabe desde cuándo, pulida por el roce y los giros de las angustias de siempre, descubrió que le dolía el tobillo izquierdo y sintió también el otro pie levemente adherido al suelo: *eso* continuaba allí, en la planta del zapato. En la estación siguiente se bajó del tren e inició el recorrido de vuelta. Al regresar, caminó directo hacia el asiento de la mujer: Ahí tienes. Justo hoy dejas el maletín. ¡Justo hoy! continuó diciéndose ya frente al puesto que había sido el de la mujer de los harapos. Subió al mundo usando las escaleras que le tocaban y pensando que tal vez se había equivocado de lado al bajar. Observó de reojo el afiche del tatuaje. Una vez en la calle se detuvo en el último escalón, limpió con el borde la suela del zapato y continuó su camino de vuelta hacia el edificio Texas; esta vez con calma, con pasos controlados, intentando siempre llegar con luz verde al siguiente cruce. Ninguna excusa es buena para saltar el protocolo. Mientras jugaba con los semáforos se preguntó como si fuera la historia de otra de qué manera entraría a su casa y, como si no lo supiera, también si Armando conservaría las llaves que ella le había entregado semanas atrás. Cruzó el portón de vidrio, subió por el ascensor hasta el piso cuatro. Intentó girar el pomo de la puerta: mientras enfurecida pronunciaba un par de palabras en voz alta, golpeaba la superficie de madera con un puño y en seguida se lanzaba al suelo, apoyando la cabeza en las rodillas. Pronto se halaba el cabello con las dos manos, sin violencia pero insistentemente. Masajeaba su cráneo. No había dormido. Ana no recuerda la última noche en que logró dormir; dormir de verdad, sin ser testigo de sí misma.

Cayó en un sueño profundo que no vio venir y luego de varias historias que ha olvidado, abrió los ojos. Se levantó, intentó girar de nuevo el pomo de la puerta y bajó por el ascensor a la pastelería:

un café le haría mirar todo más calmadamente, pensó justo antes de decirse otra vez que esto no me puede estar pasando a mí. Al verla frente a él, el tipo de la máquina la miró con una familiaridad parecida al afecto y sin esperar instrucciones le preparó un marrón grande oscuro y sin espuma. Ana abrió tres sobres de azúcar y escuchó lo de siempre, que quién diría, tan flaquita usted y mire, toda esa azúcar. Y luego: Mire que eso hace daño. Pero esta parte Ana no la escuchó, se la sabe de memoria. Desde un teléfono público llamó a Armando pero habló con una máquina: Armando, que no me vas a creer (temía que no le creyera), que me quedé afuera. Que no sé si todavía tienes mi llave (pero sí sabía); que llámame, cuando puedas. Y al final, disculpa la molestia. Momentos más tarde Ana pensó en la gente que se borra y en lo rápido que se borra cuando quiere hacerlo, y también en lo rápido que se borra y punto. De vuelta al edificio tropezó con la conserje, que le dio un papelito y le dijo con su antipatía usual: anoche vino el muchacho. Que y que le entregara esto. Y le extendió una bolsa de papel blanco, de panadería, con algo adentro. Ana abrió la bolsa buscando algo más que llaves.

Subió por el ascensor al piso cuatro, caminó hasta la puerta cuatro cero tres. Entró y pasó el resto del día mirando el techo. Durmió lo que no había dormido en los últimos meses y durante la noche se encontró con el desvelo de siempre. Tarde, más de lo normal, la vecina que sufre comenzó su rutina nocturna. En esos momentos Ana da vueltas en la cama, se cubre con la almohada, se quita el cobertor, se pregunta por Armando y le da la razón. Mueve los pies, frota los pies con la sábana mientras aprieta la almohada contra el cráneo. En el vacío insomne Ana recordó *la fecha de hoy* y se levantó de la cama: había que guardarla. Sintió culpa por posponer el ritual, encontró en su olvido el responsable del día fatigoso que no terminaba de acabar. Buscó en la sala el papel alargado, de la segunda gaveta del clóset extrajo la pega y las fichas azules del tamaño justo, y adhirió a una de ellas el recorte. Sacó la caja de zapatos número tres del último estante de arriba e introdujo la fecha nueva presionando hacia atrás las cartulinas rectangulares de los días anteriores, ya archivadas. Pensó que pronto haría falta una cuarta caja. Mientras se dedicaba a la tarea cotidiana hoy pospuesta por el desacierto de la jornada (o tal vez causante del desacierto de la jornada), pensó en el maletín y lo que ha perdido. Pensó en el agobio histórico del olvido y luego sonrió o se imaginó que sonreía: el agobio histórico del olvido que le recuerda el maletín y también a Armando.

Las pisadas martirizaban el piso superior. Ana se levantó de la cama y sin calzarse salió del apartamento. Al poner el segundo pie en el pasillo se regresó resoplando y tomó las llaves. Cerró la puerta dando un vistazo antes de apagar la luz. Ha subido un piso, ha llegado al quinto. Camina el pasillo y del lado izquierdo encuentra la puerta quinientos tres. Toca el timbre. Nadie responde. Toca de nuevo y escucha pisadas tras la puerta. Las pisadas se acercan y el ojo mágico se oscurece. Nadie abre. Ana le dice a la puerta que soy su vecina de abajo. Que si necesita algo. ¿Está bien? Pero nadie responde.

Ana es sobresaltada por un miedo sin sentido (el miedo no tiene que tenerlo, se dice siempre) y vertiginosamente emprende el regreso, acelerada, liviana, apenas tocando el suelo. Se aleja diez, quince pasos de la puerta. Al llegar a los escalones se pregunta si las escaleras o el ascensor. En eso escucha un sonido al final del pasillo. Ana baja a pie, corriendo, entra al apartamento como si la siguieran (tal vez la siguen), cierra su puerta, pasa la cadena y se sienta en el sofá. Ana respira acelerada. Suena el timbre. Ana no se mueve. Suena el teléfono. Ana no atiende, se queda mirando el aparato como estuviera vivo. Un pequeño animal. Es la contestadora la que escucha primero a Armando diciendo que estoy abajo, espero que hayas logrado entrar; Ana, soy yo. ¿Estás ahí? Ana camina hacia el balcón y se sube a la baranda. Está sentada en el borde, moviendo los pies hacia fuera y hacia adentro, meciéndose y sin pensar, mientras del otro lado escucha la voz de la mujer del piso cinco que grita su nombre. La noche está estrellada y hay una brisa suave. No se ve nadie en el parque. Entonces baja del borde y piensa que hay que tratar de dormir.

Fragmentos de la primera infancia

I. la familia mínima.

Tan parecido a Mick Jagger. Delgadísimo, con los cabellos largos y sus *jeans*. Acostado de espaldas en la cama, mi papá me sostiene con los brazos estirados. Me lanza hacia el universo para dejarme suspendida durante segundos largos y atajarme en mi irremediable recorrido de vuelta. Salvándome y ofreciéndome a la gravedad una y otra vez. Preparándome para el vacío de su partida. De su ausencia.

Este no es mi primer recuerdo. Es una foto. Una impronta en mi memoria celular.

II. la casa.

El pasillo es largo y oscuro, el piso de cerámicas frías color marrón parece de ladrillos pulidos. Al final está mi cuarto y antes, a la derecha, el de ella. La luz roja tras la puerta de su baño anuncia el juego doméstico a la ere paralizada: sorprendida de un lado o del otro no es posible entrar, mirarse a la cara, tener ninguna emergencia. Hay que quedarse quieta. Esperar como los grandes, sin perder la paciencia, sin miedo. Hasta que surja la imagen.

III. mi primera acción política.

Estoy del lado de afuera, del lado del silencio que más tarde se convirtió en escondite y vicio pero que entonces no encontraba sentido. Llamo. Ella no se asoma, no responde. En el balcón hacia Caracas hay una pecera. Subo al mueble, entro cuidadosamente a ella y me lavo con agua y jabón. Mis compañeros de baño terminan muertos, flotando, con el abdomen hinchado hacia arriba. Tengo frío. Finalmente ella sale. Y no me castiga.

IV. el ritual de lo habitual.

Todas las mañanas me peina en la sala. Estoy de espaldas a la máscara africana de fibra natural, tal vez de coco, con dientes que parecen humanos y dos ojos pequeños. También estoy de espaldas al picó. Hay un disco, *la historia del caballo que comía flores*. Su carátula es un dibujo de Zapata. Son dos las trencitas o los ganchitos, uno a cada lado. Desayunamos panquecas o tostadas francesas con mermelada o miel, sentadas en cojines sobre la alfombra de diseños árabes; frente a la mesa baja. Ella también es una niña. Mientras los que pueden van y vienen, nosotras miramos por el balcón del piso 18 o 19 de ese alto edificio hacia el parque. La rueda, el sube y baja, el piso de piedritas sueltas.

V. sin papelón ni café.

Parece que la alfombra de mi cuarto es color azul. Sentada sobre mi cama practico en el cuatro luna de margarita es, como tu luz, como tu voz, como tu amor, y otras. Una en la que el esposo le pega a la mujer y tiene razón. Allí está mi tía Carmen Teresa asegurando que no, no es posible que un hombre le pegue a una mujer y tenga razón. Yo intento negociar. Ella insiste. La noto molesta. En fin. La canción dice sin tener razón.

VI. Semana Santa.

Viajamos en el Jeep verde a la hacienda de *la prima Blanquita.* Siento calor, la tapicería plástica se me queda pegada a los muslos. La prima Blanquita tiene la edad de mi abuela y las uñas larguísimas y rojas. En su hacienda descubro la guayaba. Paso horas bajo el árbol. Paso la semana bajo el árbol. Cada vez elijo varias frutas del suelo y corro a la hamaca, mi abuela indica cuál *está lista.* De regreso, en el asiento de atrás del Jeep, muerdo y sale un gusano. Pego un grito horrorizada. Ella voltea a mirarme. No pasa nada, *los gusanitos son de la guayaba.*

VII. Marina Baura, censurada.

En la casa de los cabellos de ángel las novelas no están prohibidas. Al mediodía estamos todos alrededor la mesa redonda de fórmica blanca en la cocina. Las cerámicas de flores verdes en la pared, el piso de granito. La despensa con la puerta para gente pequeña. Y Marina Baura gritando, sus ojos en blanco, volteados, a punto de desmayarse o de un ataque de epilepsia. Cada vez que puedo espío las actrices censuradas de mi mamá y pienso que tiene razón, yo no debería verlas. No cabe duda: la actuación de las divas novelísticas era un poco más exagerada en esa época.

VIII. el primer padre.

Mi lugar especial: la juntura conciliada por un largo y exacto trozo de goma espuma densa entre dos camas individuales, siempre juntas, apretadas. Un verdadero lujo. Mi actividad preferida -él lo sabe y me invita-, acompañarlo a afeitarse. Una mañana, luego del ritual con la brocha y la espuma y la peligrosa hojilla, mi abuelo me sube a la balanza y anuncia que peso quince kilitos. Así mismo, quince kilitos.

El silencio

A las fronteras de tu isla van a morir los sueños,
encallados.
Ballenas enormes
sufriendo el silencio.

El viaje había transcurrido en silencio. Los dos contemplando hacia afuera desde la ventana. Había comenzado a llover justo antes de salir, de manera que las gotas que caían sobre el vidrio de atrás del lado derecho, el de Lucía, limpiaban y aclaraban el paisaje. Ella pensó que las gotas magnificaban los detalles, los rastros de la vida afuera, al permanecer por instantes adheridas a la ventana luego del golpe, del choque inicial. El espectáculo debía agradecerse. No había nada que decir, era bueno mirar por la ventana. Tener algo qué hacer en el trayecto.

Los charcos de agua, del lado de Adrián, se elevaban en estallidos con cada vehículo en contra. Una pareja quedó empapada luego que un conductor incauto pasara frente al semáforo a destiempo, cuando ya la luz estaba en rojo. Primero fue el contacto de las ruedas delanteras con el pozo de agua, instantes después el chofer llevándose las manos al rostro, avergonzado por el desenlace inevitable, gesticulando sus disculpas. En tanto el líquido continuaba su trayecto hacia arriba y hacia los lados, el accidente continuaba, mojando de paso con fuerza la ventana izquierda del taxi (con lo que Adrián, aunque protegido por la burbuja de vidrio y metal se sobresaltó), pero sobre todo empapando a aquéllos dos, cuyo paraguas se convirtió en una mueca. De nada vale prevenir o intentar controlar pensó Adrián. En tanto la chica había intentado esconderse en el pecho de su acompañante, como si no ver lo que estaba ocurriendo pudiera temperar sus consecuencias. El hombre no pudo más que abrazarla, esto fue lo último que vio Adrián pues ya el tráfico se desplazaba, alejaba al taxi del penoso revés. Él quedó mirando los autos borrosos a través de la ventana, imaginó desenlaces posibles. ¿Vivirán cerca?, ¿se irán de vuelta a su casa molestos, frustrados?, ¿aprovecharán el accidente para ducharse juntos? Llegarán tarde al trabajo, quizás mojados. Qué manera de comenzar el día, resolvió Adrián.

Así atravesaron la ciudad, pactando con el silencio que se imponía y que sugería el alargamiento del tiempo, una prórroga. Ya se sabe que en Caracas, cuando llueve, el tráfico es intenso. Y él lo agradeció. Jamás hubiera creído que se alegraría alguna vez por el tráfico de siempre, o por uno más demorado. Así fueron. Cada uno mirando desde su ventana, inventando su propio paisaje. Cada quien construyendo su historia, imaginando una película, tal vez. ¿Qué pasaría ahora si esto fuera una película? se preguntó ella mientras descubría que no, que las gotas no funcionaban como lentes de aumento, que más bien creaban un paisaje brumoso, borroso. Así fueron, con el sabor de la pregunta no respondida en el paladar. Él, sobre todo.

Luego de más de una hora el auto se detuvo en el lugar de destino, ella tomó el paraguas mojado desde antes, con cuidado abrió la puerta del taxi y presionó el botón en el bastón curvo. El estallido hueco expandió la pantalla gris. Lucía frunció el rostro para protegerse los ojos y sintió mínimas gotas rociando su piel, la que quedaba expuesta, la de las manos y la del rostro arrugado en un intento por proteger las pupilas. Al bajar, cada quien tomó su carga.

La puerta se deslizó y una vez adentro caminaron juntos pero separados el pasillo casi blanco según ella recordaría desde entonces y para siempre, y más bien plateado según él. Mientras se desplazaban escucharon voces lejanas, taconeos, el deslizar de los equipajes sobre el piso frío y pulido. En el camino Lucía observó una pareja joven que se besaba, seguramente celebrando el reencuentro. (Le habían lucido felices, aunque tal vez estaban despidiéndose y ella había visto mal.) Continuaron caminando y más adelante fueron interrumpidos por una señorita que se acercó a Adrián, quien en el momento sobre todo miraba al suelo, para ofrecerle unos cartoncitos coloridos: tarjetas telefónicas para llamar de cualquier lugar del mundo a cualquier lugar del mundo, le dijo. Adrían respondió con un gesto de su mano derecha que bien hubiera podido interpretarse como ni se acerque, señorita. Un gesto educado pero tajante. Casi ni la miró. Lucía no se detuvo, retrasó el paso mientras se preguntaba cómo funcionarían esas tarjetas y descubría que no tenía nadie a quien llamar, pero además, que tal como se sentía no quería llamar a nadie cuando llegaran donde iban.

Continuaron el recorrido. Lucía fue observando la boca del túnel acercarse, mientras escuchaba las rueditas del equipaje de Adrián justo detrás. Miró el hueco cada vez más grande y luminoso. Ya él la había alcanzado, de manera que entraron juntos, o como si fueran juntos, al túnel. Ella iba distraída o más bien concentrada en una plancha de acero ligeramente despegada en el arco del techo. Ese es un problema para Lucía, no cualquiera entiende que estar concentrado no es lo mismo que ir distraído, y mucho menos está al tanto de las numerosas oportunidades que brinda el día, a ella al menos, para concentrarse. Ella no lo sabe, no puede saberlo, pero esa imperfección que ahora la mira desde arriba no ha sido notada por pasajero alguno que transite por allí. Tal vez la plancha comenzó a despegarse esa misma mañana, o tal vez nadie nunca miró hacia el techo justo en ese lugar. Ya Adrián iba adelante, hablaba por teléfono mientras intentaba acelerar el paso; en tanto se escuchaba la voz ubicua de las señoritas impecables, indicando puertas de embarque y horas de partida, siempre empeñadas en poner orden, en hacer que todo, al menos en ese recinto, ocurra como planeado.

En ese momento la cinta del zapato, la rueda del equipaje, el miedo, tropezaron el uno con el otro y Lucía comenzó a caer al suelo. Comenzó a caer. Sintió el cabello atrasado, suspendido en el aire, escuchó el vaho que la rodeaba y que hacía el espacio más denso aunque no lo suficiente como para detener la caída. Lucía continuó cayendo. Miró a Adrían que caminaba hacia ella pero no tan rápido como para llegar a tiempo; pensó brevemente que siempre han tenido ritmos distintos, pero sobre todo extendió firmes sus brazos y al tocar el suelo lo empujó de vuelta con la palma de sus manos. Como si quisiera cederlo, hundirlo, abrir un hueco al menos en esa porción de tierra que la interpelaba y la obligaba a detenerse. Como si intentara rebotar, y salvarse, claro. Ya Adrián la asistía para levantarla del suelo, mientras ella secaba dos lágrimas humilladas por el aplazamiento del que habían sido víctimas hasta ese momento. Un momento en el que por efecto del miedo y el asombro, la voluntad de Lucía de no llorar se había descuidado, dejándoles libre el camino para huir. Estas aguas han estado esperando por brotar desde horas, semanas, años atrás. Se puso de pie, pasó nuevamente las manos por sus mejillas y comenzaron a caminar juntos, pero separados, contenidos por el túnel.

El espacio se abrió y entraron al gran salón en el que se sentaron, a esperar. Cada quien en silencio. Adrián le ofreció una manzanilla y ella no respondió. Él se puso de pie y fue a buscarla. En tanto Lucía se recostó del espaldar e intentó dormir. Cerró los ojos, pero la presión de una mirada la trajo de vuelta. Un niño la observaba de lejos y le exhibía en una presentación especial sus juguetes en plena acción, dos guerreros de plástico se enfrentaban a muerte. La madre devoraba una revista o tal vez un libro, desentendida del mundo. Él no dejaba de mirar a Lucía fijamente, con tanta insistencia que ella intuyó estaba por acercarse. No lo hizo. Lucía pensó que debía lucir triste ante el niño curioso. Le sonrió, se dio media vuelta para enrollarse sobre sí misma y cerró los ojos de nuevo.

El largo corredor de ventanales amplios permitía contemplar el paisaje siempre brutal y nostálgico conformado por los aviones preparándose para zanjar el cielo en dos, a su paso desmembrando sueños, juntando historias, sellando o descuartizando proyectos. Los aeropuertos son un cementerio etéreo, sin tumbas, alcanzó a pensar Adrián mientras miraba a Lucía dormir o hacerse la dormida o soñar que dormía. De pronto la imagen le enterneció. Se sintió culpable de su propia tiniebla. Como reprochándose pensó que los aeropuertos tienen sus mañanas de promesa también. Y luego se dijo que todo iba marchando como planeado, no había razón para temer. Allí quedó, suponiendo, dudando, tal vez incluso recordando un tiempo sepultado, pero sobre todo extrañado por la serie de pensamientos descastados que no se parecían a él y que le ponían en evidencia el miedo. El anuncio del vuelo despertó o alertó a Lucía y los dos se levantaron de las sillas. Ella estaba cansada, notó un dolor intenso en el cuerpo, sintió las piernas pesadas. Comenzaron a caminar.

Bajaron dos pisos más. De pie en las escaleras mecánicas Lucía jugó a construir la visión horizontal, progresivamente, a partir de los centímetros de imagen que iban apareciendo de arriba hacia abajo en la medida en que los dos se desplazaban y se acercaban al final. Continuaron así, callados, mirando al suelo que en algún momento se volvió como de acrílico y permitía intuir sombras en el piso inferior. Bajaron el ritmo. Lucía bajó el ritmo y Adrián la imitó. Ella posó la mano derecha en la pared izquierda, apenas rozándola con los dedos. La sintió lisa y fría, sin saberlo intentó hacer resistencia, estirar los minutos como una goma densa, informe, prolongar el tiempo tanto como fuera posible, sin quebrarlo. Sintió las hendiduras entre los listones metálicos y se imaginó que se detenía brevemente en cada uno, como si pudiera sostenerse fuerte, como si cada una le brindara una última oportunidad para en efecto romper la cuerda del reloj.

Llegaron al lugar. Con el precipicio a milímetros de la punta de los pies Lucía se detuvo, apoyada de su breve equipaje. Alzó la mirada y allí estaba Adrián, con esa mirada ausente, hundida, que se convirtió en una patada al pecho de ella. Unos ojos que de pronto se mostraron grandes y graves, sin siquiera una línea que anunciara una sonrisa o la articulación de una palabra. A lo lejos, los uniformados rompían pasajes en dos, como dividiendo y dejando en el cesto el tiempo que pasó, ya inútil a cualquiera, y entregando de vuelta sólo el pedacito, el adelanto de lo que viene en un *boardingpass.* Ella permaneció inmóvil, congelada, aferrada a su equipaje como si pudiera caer de nuevo, con náuseas, sintiendo el paisaje borroso, moviéndose a su alrededor más velozmente de lo que su mirada podía registrar. Por última vez, dijo él. Pero era una pregunta. Y repitió con mayor énfasis. Por última vez.

Todo desmembrándose. Así recuerda Lucía ese día. El tiempo, el cementerio, las bestias aladas, las señoritas y su tiranía amable y sobre todo los sueños, los sueños disgregándose y desarmándose como en un calidoscopio terrible. Una verdadera pesadilla. Todo rompiéndose y ella incapaz de decir lo que pensaba. Desde anoche entendí que esto que tenemos puede ser el hito que lo fractura todo para volverlo armar mejor, mi vida y lo que he contemplado, las opiniones que he tenido sobre el universo y las palabras, las ideas de lo que fui e incluso de lo que puedo llegar a ser una vez encapsulada en el tubo de metal y reincorporada en mi lugar de destino, que podría ser el tuyo si así lo decidiéramos. Tú eres la mano que con fuerza empuja, moldea y recrea junto a mi deseo El mundo.

Ella calló. Él miró al suelo. Dio dos, diez pasos y comenzó a alejarse. Parecía detenerse pero luego vinieron más. Lucía quedó aferrada al tubo de su equipaje, sintiendo las uñas clavándose en la palma de su mano derecha de tan insistente su agarre, temiendo romper ese metal que le servía de bastón. Observó la figura cada vez más minúscula deslizándose en el piso blanco iluminado. Detenida, observó que ella también se alejaba, como sobre una cinta transportadora hacia atrás. Sintió las células de su espalda desgastándose a consecuencia del roce en su trayecto hacia el hueco negro, y por un momento breve alcanzó a pensar si esta fuese una película yo estaría en *zoomback*. Todo comenzó a volverse color plomo. Como si la pintura comenzara a diluirse, a desconcharse y se mostraran las entrañas del mecanismo que los rodeaba y los definía a partir del vértigo. Allí quedó por segundos eternos, deslizándose a través del túnel color plomo a su muerte. Siglos más tarde se dio media vuelta y caminó acompañada por el eco en el que se convirtió el sonido del equipaje rodando sobre el acrílico; se desplazó distraída por los aviones, por las aeromozas que se cruzaron con ella y que escuchó fugazmente hablar sobre una comida que harían juntas al llegar donde iban. Lucía tropezó con la chica de las tarjetas telefónicas, que le ofreció una, para llamar de cualquier lugar del mundo a cualquier lugar del mundo. Entonces pensó que era buena idea telefonear a Adrián, cuando ella llegara de nuevo a la casa, luego de un baño largo y tibio.

Des-instalación

Recuerda que soy aún,
y que así es cierto que he sido.
Recuerda que podrías verme,
y que tú me has visto.

Javier Marías

Al final del corredor se encontró con un gran salón de techos altos y piso de cemento pulido. Llegó atraída por los sonidos desarticulados. Por las frases que cada sonido parecía elaborar con sentido perfecto pero emancipado del anterior y del que le seguía. El lugar parecía desocupado, vacío. Se había acercado por curiosidad y ahora se preguntaba si el paisaje ante sus ojos estaba de ida o de vuelta, si aquél desierto se convertiría en otra cosa, era parte de un proyecto, o si había ya cumplido con su parte y ahora mostraba sólo restos de lo que no es más. Se le ocurrió que posiblemente alguien extrañaba lo que ella no era capaz de ver, lo que no se veía a los ojos de una recién llegada. No había cuadros ni esculturas que justificaran el portón abierto. Pronto identificó, sobre un volumen rectangular blanco y alto ubicado en la entrada, pequeños volantes apilados que solicitaban en letras mayúsculas: "Favor no hablar ni dar de comer a los músicos". Más abajo y en pequeño, tres nombres y tres apellidos, o tres nombres con sus respectivos apellidos.

Para asomarse al salón fue necesario acostumbrar sus pupilas al paisaje denso y cerrado, a la cualidad esponjosa de la luz que se colaba sólo a través de mínimos espacios abiertos entre el techo y las paredes. Una franja de arena clara parecía difuminarse del cielo raso al piso y se hacía más ancha en su cercanía a él. En uno de los extremos de la gran habitación distinguió apenas la silueta de un escritorio, una plancha gruesa sobre dos soportes piramidales de metal. Tres figuras sentadas miraban hacia la puerta y eran apreciables, aun en penumbras, también desde allí. Había cables conectando los equipos a otros equipos, y cables conectando algunos de ellos a cuatro cajas rectangulares y altas.

En el centro de la sala, dos *puffs* engullían a dos personas. Pronto, sin hablar y con movimientos decididos (sería la única manera de zafarse de la boca de cuero y su relleno fluctuante de anime) la mujer se puso de pie. Su acompañante la imitó, aunque con menor destreza, y los dos salieron, cruzando la puerta hacia el sol y la fuente de agua. Fue como si el galpón les hubiese quedado pequeño, como si ella hubiese necesitado que estos visitantes salieran para poder entrar, o en todo caso, sentarse. Cojines, había solo dos. En tanto ella terminaba de cruzar el umbral oscuro, sosteniendo cual mapa el pequeño papel de letras negras. No se sentó. Caminó hacia la mesa sin saber cuál de las tres siluetas podría reconocerla. Así de oscuro lucía todo dentro del galpón. Pronto uno de los cuerpos se puso de pie.

Mérida. Una casa que no recuerdo, una bebida que no identifico en la memoria pero que podía ser vino de mora, aunque estábamos tan tomados que debía ser ginebra o ron. Esa noche, en la sala de alguien cuyo nombre tampoco viene a mi mente, jugamos a la botellita. Una diversión estúpida: todos sentados en círculo veneran los giros de una botella que acostada en el suelo, en el centro, es puesta a rotar sobre sí misma. Una vez la ruleta se ha detenido, el pico y la base de la botella atan a dos de los participantes a un mismo destino. Ernesto y Marisol fueron los primeros. Los borrachos aplaudieron o todos nos reímos, y algunos hicieron algún chiste vulgar del que ya nadie se acuerda. Los dos ganadores se pusieron de pie y escucharon su penitencia, que cumplieron de buena gana. Encendieron un tabaco que se fumaron sin compartir con los demás. Mientras tanto, Matías y Elena se besaban aunque no era su turno ni una penitencia, sólo por hacer algo en el paréntesis del juego que era el juego mismo. Juan sirvió nuevas bebidas. Un gato entró desde el jardín por la ventana y se sentó en mis piernas. Santiago cambió la música y puso a Miles Davis tocando con unos *raperos*. *Doo bop*. Más adelante Juan y Manuel se pusieron de pie y bailaron *pegao* frente a todos *Sombras nada más*.

Caminó arrastrada por el sonido filtrado de lo que parecían vehículos desplazándose a lo largo de un túnel, y sintiendo a la vez sus pasos golpeando en el suelo como parte del ritmo que escuchaban sus oídos. Caminó con el papel en la mano: "Favor no hablar ni dar de comer a los músicos", y supuso en el trayecto que rompería las normas del sitio. Al acercarse a él y distinguir sus facciones pudo escuchar su voz diciendo algo sobre el tiempo que pasa, miró aquella boca, la forma en que articulaba cada sonido, las ondas que emanaban en forma de recuerdo y pronto la mueca, el desgano irónico de siempre. Miró su manera de mirarla y su sonrisa. Es difícil adivinar qué piensa o siente quien prefiere quedarse afuera. Él *es* una obra de arte sonora, pensó ella. Pensó también que se veía cambiado, se notaban los años, y supo en seguida que ella misma estaba distinta. En el intento por llenar el hueco y proteger la memoria dijo alguna frase torpe que no recuerda. Entonces se distanció, se deslizó sobre el eco, sobre el suelo frágil, sabiéndose lo único en foco; una imagen aislada en el ojo del dueño del sonido y del lugar. Las paredes blancas pero ocultas se convirtieron en el marco de un cuadro vivo dentro del que ella se movía. Aquélla le pareció una película muda. Los que entramos a escuchar la instalación de los músicos a los que no debemos hablar ni dar de comer, somos la instalación que entretiene a los músicos. Esto lo pensó horas más tarde, pues en el momento que era presente se acercó a la primera corneta y disfrutó del sonido fragmentado, sin mirar ya los cables ni los hombres ni la plataforma de acero que hacía de escritorio.

Muy tarde la botella apuntó el pico hacia mí; la base, directamente a Santiago. Sin negociaciones ni protestas obedecimos. Los dos nos pusimos de pie. Había un tanque de agua al fondo de un jardín oscuro y muy frío. Más allá todo era páramo. Al levantarme del suelo el gato salió corriendo, saltó hacia la ventana. Santiago ya estaba en la puerta mirando hacia afuera y terminando su cigarrillo, que lanzó propulsándolo con el dedo medio y el pulgar, en una palanca eficaz. No recuerdo qué debíamos hacer. Sé que caminamos hacia la noche y que hubo sexo sobre el tanque. Que el borde afilado de cemento causó una herida; la marca que aún muestra uno de los huesitos salientes de mi columna. Adentro, los que jugaban llamaron a Santiago, pronunciaron también mi nombre. Se cansaron de esperar pero no salieron a buscarnos.

Las explosiones se diluyeron en hilos suaves que la condujeron, en una cinta transportadora, a la corneta siguiente. Cada cubo negro un capítulo, un fragmento, una entrada. En ese espacio vacío de personas con quien hablar y vacío también de sonidos conocidos, ella vio al músico sin mirarlo. Mirar era una opción que no tomó.

Caracas. Plaza de los Museos. En un concierto de música callejera, Ángela, Ernesto y yo nos topamos con Santiago. Nosotros dos nos saludamos, saludando a la vez sin palabras a los dos del tanque que habíamos sido. Al terminar el concierto los cuatro subimos a la camioneta de Ernesto para terminar en una pequeña plaza cerca de

Chacaíto. Llegamos a la casa de Norman, un pintor que vivía allí, sobre esa plaza, en dos tiendas improvisadas que no se identificaban desde la avenida. Después de esa noche tuve dudas, a veces me parece que ni el lugar ni el personaje existieron, pues al poco tiempo volví y no encontré nada. Ni rastros del amigo pintor. Norman llevaba puesto un suéter color rojo con una capucha del mismo color y Ernesto pasó toda la noche, o lo que a mí me pareció toda la noche, diciendo que Norman era *el lobo feroz después de comerse a la caperucita roja*. Esa noche Santiago y los otros dos iban y venían, yo no sé qué inventaban, si se iban muy lejos. Yo me acosté sobre tres colchonetas sobrepuestas y muy sucias, y me quedé dormida. Cuando desperté, Ángela estaba junto a mí, jugando con las sombras, inventando figuras que en sus manos parecían extraños garabatos pero que se convertían en animales perfectos al reflejarse sobre la superficie de la tienda de campaña. Me parece que Ernesto dijo mil veces que Norman era el lobo feroz después de comerse a la caperucita roja, y que mil veces todos nos reímos, a mí me parecía de lo más ocurrente. Además era cierto, Norman parecía un lobo. En algún momento Ángela y yo tomamos algunos tubos de óleo de nuestro anfitrión y usamos un lienzo reciclado que él mismo nos prestó. Nos dedicamos muy concentradas y silenciosas a pintar un cuadro usando sólo los colores más brillantes, que contra todo pronóstico resultó en un rectángulo cubierto por un emplaste marrón. Hacia el final de la noche cruzamos la calle y terminamos en El Sol de los Llanos, una arepera donde tomamos agua y *cocacola*. Creo que Norman continuaba con nosotros. De allí, Ernesto llevó a cada quien a su casa. Santiago dijo que el cuadro que habíamos pintado era el toque infame de la noche.

El oleaje abrió espacio en el salón vacío de personas con quien hablar y vacío también de sonidos conocidos, y pronto fue una onda vibrante, seguida o interrumpida por un *beat* profundo y hueco, que le martilló el cerebro y la llevó aturdida a la próxima caja negra.

Caracas. Una fiesta cualquiera. Me crucé con Santiago y casi no hablamos, como siempre que coincidimos. Todas las habitaciones del apartamento estaban repletas de gente y en cada una ocurría algo distinto. Cuando las jeringas comenzaron a brillar, cuando Ernesto nos invitó a quedarnos mostrándonos la bolsita blanca de papel como única pista de lo que venía, le pedí a Santiago que me llevara a mi casa. Creo haber sido yo quien lo propuso. Tal vez le pedí un favor, que me llevara a mi casa. Subimos al automóvil en un ritmo acompasado y recorrimos la ciudad, la autopista rayada por los faros amarillos a sus costados, esos hilos de luz que parecían extenderse como guirnaldas de poste a poste. Iríamos muy rápido o estaríamos demasiado ebrios. Nadie habló y sin embargo el trayecto se hizo breve. Cruzamos la puerta y con urgencia nos desvestimos lo mínimo indispensable. Todo fue allí mismo, en la entrada de la casa. Sonó el teléfono. Yo atendí y sostuve la conversación que desencajó la noche y lo que seguía, si es que algo seguía. Santiago fumó un cigarrillo mientras me miraba en el teléfono. A Ernesto le había ocurrido algo. Que *se había puesto mal*, que otros amigos lo habían dejado en la puerta de su casa, habían tocado el timbre y lo habían dejado en el suelo del estacionamiento. Que se fueron corriendo, sin esperar. Mientras escuchaba mi voz, Santiago encendió un nuevo cigarrillo con el que venía fumando y ya se aferraba al filtro. Apenas corté la comunicación se despidió con un beso en la mejilla que dejó todo cerrado como siempre. Él era un tipo de pocas palabras. Yo igual.

La mujer continuó persiguiendo el sonido, dejándose tomar por los encuentros descomplicados, fortuitos, por la muerte del amigo, por aquel abandono en el estacionamiento de una casa que nunca conoció pero que con el tiempo ha construido en su memoria. Última caja negra y luego silencio. El presente se resumió en silencio, una vez más. Hay cosas que no cambian. Desvió sus pasos en dirección a la puerta, salió del galpón sin prisa pero sin mirar atrás, subió a su auto. Condujo hacia la autopista. Creyó sentir la espalda en contacto con el cemento rugoso. El temblor en las piernas. Dejó que la cargara, que el recuerdo la empujara contra la superficie irregular; que renovara la marca en el hueso saliente de la columna. En eso un rayo de sol reflejó en el parabrisas hiriéndole los ojos. Encandilada por el estallido se enfocó en la ruta. Era domingo y tenía varias cosas qué hacer.

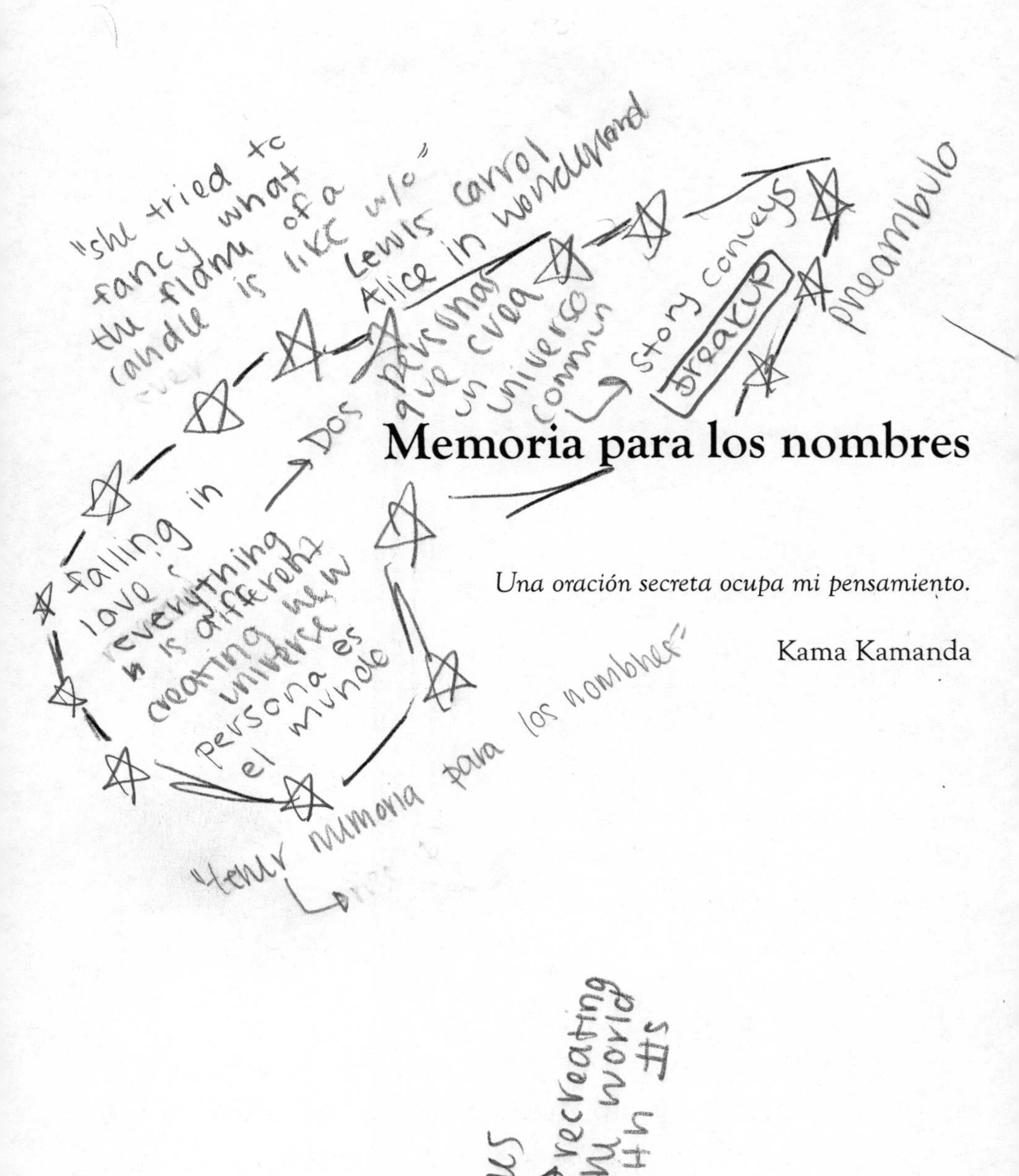

Memoria para los nombres

Una oración secreta ocupa mi pensamiento.

Kama Kamanda

Dónde estábamos, dónde me dirigí cuando luego de tu primera convulsión me pediste un momento de silencio y soledad, es tan importante como el inicio y el desarrollo de esta historia de la que soy también responsable; y entre los dos, la única sobreviviente. La cueva era tan oscura y había tal cantidad de pasadizos, que se hacía imposible conocer la totalidad de cámaras ocultas y bibliotecas que albergaba. Los portones se desplegaban a lo largo de pasillos de duración indefinida. Aunque el día y la noche eran siempre oscuros, el cambio casi orgánico en el paisaje, la perspectiva cambiante en cada recorrido, generaban una clara conciencia de temporalidad. Para sentir que el tiempo pasaba era necesario moverse. Luz, o lo que entendemos por luz, había sólo en el Gran Salón. Mejor dicho era fuego. Sólo allí.

Quién iba a decir, decías, que El Lugar fuese tan oscuro a la mirada. En efecto. Quién podía pensar que fuera tan tenebroso y confuso. Quién podía creer que el nacimiento y el ultraje provinieran ambos del mismo hueco rancio. De esos pasillos sin ángulos rectos, de aquellas superficies lisas y brillantes. Estábamos tal vez dentro de algún cuerpo humano, llegué a temer.

Intento hacer memoria, pero no recuerdo ahora por dónde empenzaste, qué objeto o fenómeno cayó primero a consecuencia de tu antojo. No recuerdo porqué tomaste la decisión que lo desató todo. Sé que rasgaste una hoja de algún libro y eliminaste un nombre. Y que en seguida se inició el *tsunami* de letras, objetos y fenómenos que describo. Permanecen frescos en mi memoria tus ojos brillantes, especialmente hermosos y más claros esa mañana en que todo comenzó; tu rostro satisfecho y esa sonrisa infantil, casi traviesa.

Todos mis anteriores intentos por no comprometerme, no entregarme, no perder el derecho al ocio que proporciona no tener plan ni estrategia en la vida, perdieron vigencia de una vez y para siempre desde entonces. En efecto, era justamente la ausencia de plan o estrategia la responsable de mi compromiso con aquella misión descomunal: había sido sitiada por mi propia aversión al control que sobre las personas ejercen los calendarios y las responsabilidades. No había excusa para negarse, pocos podían ser tan libres como yo para asociarse a ti y convertirse en notarios de tu sueño terrible que lo abarcaba todo, destruyendo para crear el universo en un chasquido cada vez. Recuerdo que algún trazo de vanidad me condujo a imaginar que lo que estaba ocurriendo podía perdurar mi muerte, al menos.

Se trataba de una tarea delicada y minuciosa la mía: una vez iniciado algún proyecto, anunciado algún cambio con sus adosadas muertes y nacimientos, debía atravesar los corredores oscuros como hígados, explorar por temas el mundo, llegar a la fuente del verbo y de la imagen, modificarla; luego hallar las bisagras conectivas con otros temas relacionados, visitar sus pasillos, encontrar sus orígenes, alterarlos, y repetir el proceso hasta cerrar un círculo perfecto. Al final, ubicar y recorrer el camino de regreso, el camino de regreso hasta ti, que estarías esperando suspendido en el tiempo.

Una vez dijiste que la palabra mar era demasiado corta. Que el mar era muy hermoso y extenso para llamarse así, demasiada vida, tantos colores y misterios: tres letras no bastaban. Primero pensaste necesario construir una palabra que contuviera todos los sonidos, pero pronto dijiste que eso no era posible. No era posible. Entonces decidimos trabajar tomando como punto de partida lo que el mar es, pusimos a prueba palabras, sentidos, sopesamos consecuencias y virtudes de cada bautizo aceptable; finalmente decidimos que el mar se llamaría universo. Pero el asunto no finalizaba allí, era necesario determinar qué ocurriría con la palabra universo y con el universo mismo. Y por otra parte, con las plantas, la fauna marina, ¿qué ocurriría? ¿se llamarían estrellas todas las formas de vida existentes en los mares y océanos? No podía ser. El trabajo era pesado, agotador. Yo debía caminar los pasillos, encontrar todos los libros en los que mar, universo, pez, fugaz, marea, estrella, alga, planeta y cualquier otra palabra relacionada apareciese escrita; comenzando por enciclopedias y diccionarios, pero contemplando también cuentos y novelas, poemas y cuanto documento científico hubiese sido escrito y mencionara estas palabras.

Y es que aquel lugar común es verdadero: el mundo es un pañuelo. Al cambiar un sustantivo se generaba una grieta, una rotura sólo susceptible de reparación mediante nuevos bautizos y documentos que justificaran y conciliaran la topografía antigua con la recién creada. Todo cuanto era soplado por tu boca dependía de mi intuición para ubicar su lugar, reconocer los ángulos de encuentro y desencuentro; las fallas, que luego de mi minuciosa deducción debían quedar perfectamente cubiertas. El mundo tal como había existido hasta tu siguiente capricho debía ser rajado, confeccionado y luego pulido por fragmentos, con el objetivo de emparejar lo antiguo con sus nuevas versiones.

Las consecuencias de lo que apenas comenzaba superaban las de aquella enfermedad a consecuencia de la cual, según dicen, las personas se vieron en la necesidad de etiquetar los objetos para saber cómo nombrarlos, y que fue agravándose hasta que las etiquetas fueron etiquetadas, y las etiquetas de las etiquetas etiquetadas, en la preocupación por recordar no sólo cómo nombrar aquello que se contemplaba, aquello a lo cual deseaba hacerse referencia o incluso aquello que requería usarse con urgencia, sino también para perpetuar su función y en ciertos casos de afección grave, traer a la memoria la relación entre ambos asuntos –entre el nombre, la función del objeto– y el angustiado lector de las etiquetas, que, daba dolor, podía pasar horas antes de comprender qué hacía ante una ventana, una tina o un libro.

Cuentan que este último caso, el de los libros, era además humillante, pues el lector podía confundir las etiquetas con las páginas del libro y su historia o su discurso, terminando sin saber siquiera quién era quién, quién leía y quién había escrito, quién era real en el mundo de las tres dimensiones y quién una sombra plana. Si las guerras, el amor, la nostalgia o los descubrimientos científicos que tenía en mente tenían algo que ver con él, o incluso con el uso y sentido del objeto cuadrado o rectangular de peso y características variadas que sostenía entre las manos. En ciertos casos, cuentan las crónicas de los sobrevivientes, podía uno encontrarse a un caballero sentado en la acera llorando desconsoladamente sin saber bien dónde dirigirse, cuál era la frontera de sí mismo, qué era todo aquello que se movía a su alrededor con ritmos, colores, olores, tamaños y direcciones extrañas. Qué era eso –¡el mundo! le hubiésemos dicho– que lo rodeaba como a un recién nacido que no se reconoce aún los dedos de los pies. Numerosos hogares, oficinas y proyectos fueron abandonados de un momento a otro por no comportar relación con lo que las personas afectadas construían y reconocían como su historia reciente, como memoria presente. Y para los efectos debe decirse, persona afectada resultaban también los familiares, amigos, socios, vecinos del desmemoriado, abandonados por irreconocibles y progresivamente por invisibles.

No. Esto era distinto. Sin lugar a dudas menos poético que aquella práctica antigua que aconsejaba rotular los recuerdos para organizarlos cuidadosamente en las esquinas y otros espacios libres de las casas, de manera de no tropezar con ellos. En efecto, nuestro estremecimiento no perseguía a los recuerdos. Al menos no intencionalmente. El carácter más bien íntimo de las memorias las mantuvo a salvo por algún tiempo más, aunque quedaba claro que en algún momento también ellas terminarían arrolladas, sin siquiera etiquetas que las salvaran del precipicio al que caía lenta pero indefectiblemente el presente, sus artefactos, sus afectos, sus ruinas y sus sombras. Mientras abajo soplabas palabras y sentidos a fuego vivo, arriba todo era plegado y desplegado, sacudido y vuelto a armar; y la gente se iba desorientando ante esos espacios vacíos, trasmutados ante sus ojos sin explicación aparente.

Cada día yo tenía más trabajo, atendiendo a esos pliegues y contradicciones de la realidad pasada y prometida. Del plano horizontal hacia abajo los únicos imprescindibles parecíamos ser tú y yo, perdidos en el laberinto oscuro, sabiéndonos uno y el mismo. Una tarde, dedicada a transformar las palabras grito, sonido y soplo en la palabra nacimiento, extrañas punzadas comenzaron a transitar mi cuerpo. De la cabeza a la mano izquierda, al estómago, a las rodillas. Sería el cansancio, pensé primero. No transcurrió mucho tiempo, una vez habitados los espacios visibles e invisibles de mi anatomía, los dolores se convirtieron en dagas punzantes que me dejaban paralizada. Todo arriba continuaba indiferente su curso, maltrecho, pero sin memorias del cambio, sin extrañezas luego de cada operación. En cambio abajo mi salud empeoraba con cada recorrido, con cada muerte y cada re-creación. Alguna palabra, algún sentido habríamos cambiado que impactó mi existencia y comenzó a borrarla. Progresivamente los pasillos comenzaron a desdibujarse y junto con ellos las cámaras y sus bibliotecas, los portones, las líneas curvas y oscuras. Todo abajo comenzaba a decaer, no sabría decir si a pulverizarse o derretirse, esfumarse o escurrirse. No comprendía si se trataba de una sensación generada por mi progresiva pérdida de facultades para identificar los lugares de tu visión, o si era la muerte, ese vaho que enrarecía los bolsillos de cada túnel. Comencé a sentir la amenaza del extravío.

Pronto entendí que quedaba poco tiempo antes de perderme y perder el mundo en un cataclismo, en un amasijo de palabras y sentidos, en una confusión o un hastío de sonidos que lo destrozaría todo. Tu existencia comenzaría a palidecer, pues con el deterioro de mi cuerpo y de mi ejercicio vendría el de tus predios, el del fuego y el del sueño que soñabas. Sólo quedaría un pequeñísimo punto negro. Con la certeza de la salvación en la palabra no pronunciada, me propuse silenciarte, borrarte. Iniciaría una última travesía hacia los lugares que fueran precisos, cumpliría con el protocolo, minuciosa como siempre. Buscaría además de tu nombre todos los nombres que te han dado desde los comienzos; en cada pasillo, en cada poema, texto antiguo, documento. La luz comenzaría a temblar, los pasillos se borrarían. A partir de entonces yo continuaría vagando sin plan ni estrategia. Arriba los proyectos y en definitiva el mundo continuarían medio cojos, igual que siempre. Así como se ven hoy. Quedarían huérfanos las mujeres y los hombres, esperando sin saberlo por el nuevo mundo inventado.

Una inolvidable

En la oscuridad, al principio de rodillas, fue liberando cada uno de los pequeños botones de mi vestido y poniéndose de pie hasta quedar mirándome. Son diecinueve los botones de ese vestido. Desde abajo hacia arriba fue separándolos de su ojal, demorado, calculando cada gesto. Como si hubiese tiempo. De pronto mi cubierta no pudo sostenerse más y por su peso se deslizó hacia el suelo. Recuerdo que terminamos sobre una alfombra áspera, que admiré con los ojos muy abiertos la caída de una gota de saliva o de sudor sobre mi mejilla izquierda. Una gota de aceite derramándose lenta, un grano de sal rodando a lo largo de las paredes de un cono de cristal.

Sentados en el sofá de la habitación, con dos copas de un vino tinto que habíamos comprado antes de subir, hablamos sobre viajes y las cosas insólitas que pasan en los viajes. Siempre he pensado que la casualidad o el destino se aceleran cuando uno sale de su país. Le conté sobre mi preocupación por la memoria, que dependemos de sus caprichos. Que somos lo que recordamos, que hemos sido, y que a consecuencia del extravío dejamos atrás versiones de nosotros mismos. Versiones que seríamos si rescatáramos esos eventos desincorporados, justamente, de nuestra historia. Creo que he olvidado viajes por no retener el nombre de las ciudades en las que he estado. Algo así le dije, que tengo muy mala memoria. Y él me habló de fotos y de fragmentos. De lugares fragmentados, de la manera en que el recuerdo es recuperado, por secciones. Me dijo algo sobre el silencio, que es una lástima, me dijo, la importancia que le damos al verbo. Que si habláramos menos tendríamos tiempo para mirar más. Y recordar mejor. Yo pensé que tenía razón pero no se lo dije.

Nos conocimos en la fiesta de mi prima Eunice. Él, un amigo recién llegado no importa de dónde, estaría en Caracas tres días. Yo, que para abreviar sencillamente me presenté como la prima de Eunice, vivo acá. Compartimos una copa de vino tinto chileno, o mejor dicho un vaso pues copas no quedaban más, mientras tocamos los temas típicos entre dos desconocidos. Hablamos de su accidentado trayecto del aeropuerto al hotel, del trabajo que vino a hacer y de la ciudad, de la inseguridad, de mi trabajo. Por ratos orbitamos, separados, entre la gente, pero cíclicamente nos volvimos a encontrar. Hablamos de música y especialmente de salsa pues quedó impresionado con Rebeca y Andrés, que en el momento se lucían con uno de sus *performances* ya clásicos en las fiestas de los amigos. Hablamos de cine y le comenté de un festival europeo que duraría lo que su estadía en Caracas.

Esa noche me pidió que le recomendara cinco lugares imperdibles de esta ciudad y descubrí que la conozco poco, pero también lo hermosa que la encuentro. Elogié una montaña, comenté dos museos, tres restaurantes, un barcito, recordé una universidad y ofrecí un café. A fin de cuentas, me dijo días más tarde, mi selección no estuvo mal. Me invitó a almorzar y le ofrecí llevarlo a un lugar al aire libre rodeado de palmeras o de *ficus*, en todo caso de vegetación. Un lugar verde e iluminado. Entonces recuerdo que pensé que de plantas sé poco y también que eso seguramente no va a cambiar. Ahí pusieron *Buscando Guayaba* y lo saqué a bailar. Me preguntó por la guayaba que buscaba el tipo, que qué guayaba era esa, y no tuve que responderle pues Rebeca pasó cerca y se lo endosé. Sentada en un sofá miré a la gente bailar hasta que Tomás se acercó y entonces con él hablé de *La vida secreta de las palabras*, una película principalmente sobre silencios. Así fue pasando la noche. Más tarde el invitado se acercó con un vaso de agua en una mano y el de vino en la otra, cansado y con la camisa pegada del sudor, luego de su clase de baile. Permanecimos callados mirando el paisaje extraño que son mis amigos.

Coincidimos varias veces a lo largo de la noche. En algún momento de la fiesta se acercó y me dijo te quiero contar. Y me contó, sobre una aventura amorosa en algún lugar del mundo en el que hay tormentas. Recuerdo que me impactó escuchar sobre el encuentro casual entre dos personas desconocidas, durante tres días encerradas a chocolate y vino, y pronto sexo, que era lo único que había o podía haber entre las paredes a las que habían quedado confinadas mientras pasaba la tormenta. Quedamos callados. Bastante más tarde, no sé por qué, ocurrió otra cosa extraña: le conté sobre la noche en que murió mi abuela; que entré a su cuarto y encontré su cuerpo, había quedado en silencio apenas segundos atrás, permanecí durante un tiempo mirándola, pensando que uno no sabe cómo es que se muere la gente. Permanecí quieta, preguntándome cuál parte estaba aún allí, si es que alguna parte de mi abuela todavía se aferraba a aquella figura que intuía cada vez más fría, que se me iba haciendo desconocida y que no me atreví a tocar. Observé la expresión nueva y definitiva en su rostro. El color grisáceo. Sus brazos. Y de pronto, su reloj. Su reloj continuaba andando. Por esas fracturas del tiempo su reloj continuaba andando. Algo era incoherente en ese cuadro, un fragmento de lo que miraba era una película y el otro era una foto. Era como si a cada tic, por efecto de la obturación del lente en una cámara fotográfica, se generara una imagen nueva. Una abuela yéndose. Una vida reorganizándose en el vacío que iba dejando. A cada tic.

No dijo nada. Quedamos allí sentados, mirando hacia afuera. Pronto repasé mentalmente varios buenos motivos para irme y ahí lo dejé, bien acompañado por Tomás y Eunice, que lo llevarían al hotel. Cuando llegué a la casa me di cuenta que había perdido uno de los zarcillos de la abuela y pensé en la ironía: tan presente que estaba ella, no se había ido, me negaba a olvidarla, y tan inconsistente y desordenada yo, incapaz de preservar un recuerdo que podía llevar puesto a todos lados. Al día siguiente llamé a Eunice y me dijo que no sabía, no había visto el pendiente, pero seguro estaba por ahí. Que no me angustiara. Así. Que no me preocupara tanto. Entonces me dijo que *el extranjero*, como lo llamaba por jugar, había colapsado en un sofá. Que la fiesta duró casi hasta las seis. Y que lo mejor me lo perdí.

La siguiente vez en esa habitación sentí que el tiempo se arrastraba, como si quisiera pero no pudiera imperar de nuevo. Me quedé de pie junto a la puerta, sin terminar de entrar, él recostado de la pared opuesta, mirándome, desde ese vaho, desde ese vacío de voz. Pobre del momento que no transcurre, que permanece a la espera de una aguja que se tranca y no camina. Allí está él, espiándome desde otro lugar, como el extraño que era, o que es. Entonces le digo (por que varias veces lo había visto *registrarme* atentamente, intentaba grabarme en una lámina de plata dentro de su cerebro), que su versión del silencio y de la comunicación es sincrónica. Vas a tener que pegar los trozos, le digo, de estas fotos desordenadas. No respondió nada, permaneció mirándome y yo me sentí impertinente. Entonces se despegó de la pared y caminó hacia mi silueta.

Esa tarde lo llevé a la universidad. Le conté, mientras recorríamos el pasillo de los libros y nos encaminamos hacia el Aula Magna, sobre un cuento que había escuchado de mi madre cuando pequeña, y que con seguridad ella misma ha olvidado. Según la historia, la amiga de una amiga estaba *enamorada* de Joan Manuel Serrat. En una de las visitas del músico a Caracas, ella se armó de valor y escribió un poema que le hizo llegar con un técnico del teatro o de su mismo espectáculo. La verdad no recuerdo cómo es que él terminó con el poema en sus manos, pero la historia cuenta que luego de leerlo quedó conmovido y la contactó para invitarla a merendar. Estableció una hora y un punto de encuentro. Al recibir el recado ella no lo creía, pasó horas inmóvil sentada o acostada en su cama, luego decidiendo qué traje usar, vistiéndose y desvistiéndose nerviosa mientras planeaba y volvía a planear la mejor ruta para llegar al sitio. Pensando sobre todo de qué hablaría con esa figura a la que siempre llamaba el amor de su vida, qué conversaría con el músico famoso que la había invitado a un café. Al final no se presentó. Se quedó dormida sobre los vestidos extendidos en su cama. Lo dejó esperando. Cuando su amiga le preguntó lo obvio, ella respondió con otra pregunta: ¿para qué iba a ir? Serrat ofrecía más vidas posibles en su imaginación que en el mundo real. Y puesta a elegir, prefirió las canciones que conocía al detalle, el espacio de lo que aún no había sido ni podía ser. Eligió el recuerdo imposible.

Esa tarde continuamos nuestro camino por los jardines de la Universidad mientras hablamos sobre historias truncadas, sobre la imposibilidad de lo que no tiene verbo y no tiene imagen. En algún momento decidimos que nuestra vacación, como le llamábamos, había terminado. Él se iría en pocos días. Yo tenía un trabajo pendiente y me dediqué a él, decaída y aliviada a la vez, sintiéndome en parte responsable del final sin palabras.

Las despedidas no nos gustan. Eso tuvimos tiempo de conversarlo, así que hicimos un pacto. El último día estábamos todos a la salida del restaurante de las plantas. El extranjero se despidió de Eunice, le dijo que muchas gracias y esas cosas que uno dice cuando se va. Le dio una palmada en la espalda a Tomás y le comentó a Rebeca algo sobre los bailarines de la fiesta. Luego estaba yo. Se acercó un poco. Me dio un abrazo, no muy largo. Se acercó un poco más, a mi oído, y dijo usted es una inolvidable. Me miró por un instante y se dio media vuelta. Caminó hacia el taxi, abrió la puerta y antes de entrar dio una última mirada hacia atrás pero no me encontró. Subió al auto y cerró la puerta. Recuerdo que caminé. Que había demasiada gente en la Avenida principal y que crucé hacia una más silenciosa. Que continué hacia el sur. Mil imágenes de la última semana atravesaron mi mente y pensé, por que justo había leído *El perseguidor*, que si viajara en metro moriría atravesada por el recuerdo en la estación de Sabana Grande, o de Plaza Venezuela. Acribillada, mejor dicho, por los recuerdos.

Hace poco llamó Eunice, contenta por que el zarcillo apareció bajo el sofá. Es un alivio, las cosas y las memorias poco a poco se reordenan, todo vuelve lentamente a su lugar.

bit by bit things get better and live goes on

la vida continua

como en la memoria para los nombres cuando Ernesto se muere

Al margen que como cambia las cosa, todo continua

Asiento 12-B

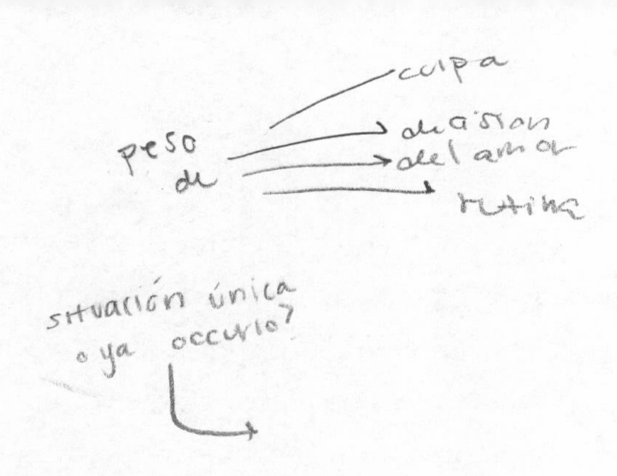

Finalmente sentado en mi asiento cerré los ojos y me propuse descansar. Pensé algo sobre el paso del tiempo. En lo rápido que había transcurrido mi estadía de una semana en Caracas, y lo lento y torpe que resultaba el regreso a casa. Esa idea se me atravesó en la garganta. Las palabras que pensaba se me atascaron en la garganta. Pensé que lo mejor que podía hacer era quedarme dormido e intenté hacerlo. No sé cuánto tiempo estuve con los ojos cerrados, buscando el sueño, esa anestesia, pero recuerdo que comencé a escuchar voces alteradas que pincharon la burbuja fina, demasiado débil todavía para protegerme del ruido a mi alrededor. Desde donde estaba no era posible ver nada. Sólo el movimiento de un grupo de pasajeros evidentemente molestos. Dos aeromozas pasaron rápidas y nerviosas junto a nuestros asientos hacia la primera clase, maltratando el glamur con cada taconeo sordo en la alfombra. Al final del pasillo una tropezó aparatosamente con un peluche atravesado en el suelo y casi se cae. Una imagen preciosa, que me sentí afortunado de conservar para la posteridad. Presenciar la fugacidad de un espectáculo como ese era todo un lujo. Algo había ocurrido adelante. Y la verdad no estaba interesado en saber qué. Pero supe.

Era uno de esos días en los que el sinfín de relaciones y de palabras y de buenos modales que es la vida se me hace detestable. Quería silencio pero la mujer a mi derecha comenzó a hablar compulsivamente. Algo sobre los sádicos, que ya una no está tranquila ni segura en ningún lugar, dijo. Recuerdo que pensé que tampoco era para tanto, me pareció exagerada, dramática la mujer, pero no dije nada, no se fuera a ofuscar y me viera yo obligado a hablar más de lo necesario, a participar del inconveniente. Permanecí inmóvil mirando por la ventanilla. Imaginando que el rumor pasaba de largo sin chocar conmigo y debo decir que eso es algo que he hecho siempre, desde pequeño. Siempre he imaginado que puedo hacerme invisible en situaciones que parecen peligrosas o se anuncian desagradables. El caso es que me hice el desentendido (el invisible), al tiempo que nadaba o mejor dicho me ahogaba en ese mal humor rancio que no sé bien cómo explicar y que me es tan familiar, tan frecuente, hasta natural. Fue entonces cuando escuché las voces de dos ancianos, que desde atrás preguntaban si se trataba de un secuestro. Giré mi cuerpo para verlos mejor y los encontré con sus cuatro manos venosas y temblorosas juntas, sus ojos pequeños tratando de entender lo que ocurría alrededor, esperando una respuesta. Con ellos sí hablé. Les expliqué lo que sabía. Les ofrecí una versión recortada de la real que ya había llegado a mis oídos sin preguntar y sin buscarla. Dije que allá adelante descubrieron a un desadaptado con unas revistas pornográficas. Desadaptado, recuerdo, dije. A pesar de mi amabilidad o mejor dicho de mi sacrificio, por que no he debido decir nada, no quería hablar; a pesar de la parquedad y de la elegancia si cabe la palabra, con la que intenté adaptar el episodio en cuestión para hacerlo potable a los viejos, ellos se quedaron mirándome horrorizados, como si el trasgresor fuera yo. Pensé que eso era lo que faltaba, el colmo. Y luego me pareció lo contrario, perfección pura. El episodio calzaba muy bien con aquél día bizarro, un día que desde el amanecer se había anunciado chocante, insolente. Encendí la computadora y me propuse continuar con mi trabajo. Esconderme tras la pantalla.

No recuerdo en qué momento abandoné el cuadro luminoso y comencé a divagar mientras miraba por la ventanilla. Sé que pensé en los ancianos, en su angustia minutos atrás, y que de pronto me sorprendí atravesado por esta imagen: dos proyectiles enormes estrellándose contra las torres gemelas de Nueva York. Recordé ese día. Yo iba saliendo del Museo de Ciencias a almorzar, escuché la noticia por la radio y al llegar a mi casa encendí la televisión. Sentado en el asiento vinieron a mi memoria el llanto y la angustia de los amigos, algunos familiares, tanta gente conmocionada, y también mi propia incredulidad. Todos teníamos a alguien conocido relacionado con el evento. Pensé en un par de historias, alguien que llamó por teléfono a su esposa desde las escaleras de una de las torres, le contó sobre la emergencia, iba bajando y le avisaría al llegar al suelo. Pero nunca lo hizo. Otra historia, la de una mujer que esa mañana no fue a trabajar pues estaba enferma y que presenció, desde el sofá de su casa y por televisión, protegida gracias a la fiebre y el malestar de una gripe casual, un destino que podía haber sido el suyo. Su oficina colapsando, desplomada. Sus compañeros de trabajo pulverizados. Entonces pensé en la vida y en cómo nos empeñamos en moldearla con tanta petulancia, cómo intentamos hacerla a nuestra medida y creemos poder planear lo que nos toca, o peor, cómo nos sacrificamos pensando que podemos hacerla a la medida de los demás. Como si hubiera varias vidas o tuviéramos más de una de repuesto. Cuánta inmodestia y cuánta inmoralidad. Me pregunté (fue un reproche) cuántas veces he dejado de hacer lo que quiero, por hacer lo que creo que es mejor, cuántas veces he pensado que mis acciones o mis palabras pueden hacer una diferencia. Si este avión estuviese a punto de estrellarse, ¿cuál sería el balance de mi vida? Divagué sin sentido. Pensamientos oportunistas. Eso eran. Pensamientos oportunistas e inútiles gestados a treinta mil pies de altura. Pronto me sorprendí cuantificando lo que pensé que *no he resuelto*. Lo que *pensé que tengo pendiente*. Entonces revisité la imagen de Emilia. Nuestro encuentro breve. Emilia regalándome una tarde en mi habitación oscura de hotel. Mirándome con esa mirada desde la penumbra. Reviví aquélla tarde, qué fuerte, parece hace un siglo y fue apenas ayer. Los dos resbalándonos a propósito, casi sin sorpresa y sin palabras. Recuerdo que pensé en el amor, que estaba experimentando *lo que el amor es* en pocas horas y desde dos cuerpos. Desde el ardor, ese cosquilleo, esa apuesta peligrosa en brazos de Emilia, hasta el sosiego y la entrega mansa bajo el mismo techo con Mariana. Pensé en mi próxima visita a Caracas con el rostro de Emilia clavado entre las cejas y las ideas se me hicieron culpa muy pronto.

Ahí de nuevo vino a mi mente la casa, Mariana y los niños. Me dije algo sobre los silencios. Que se han devaluado en la estructura amorosa; hay que ejercerlos, es necesario hacer las paces con los silencios.

Ese había sido un día absurdo, o mejor dicho desatinado desde el amanecer. De esos impregnados de un sino caluroso y maloliente que sugiere al oído caminar suave, respirar sin moverse, no explote una granada bajo la próxima pisada. Amaneció lloviendo. El chofer me llamó una hora antes de lo acordado advirtiendo que la carretera hacia el aeropuerto podía derrumbarse de seguir lloviendo así. Alarmado, tuve que darme una ducha fulminante de la que salí sudando. Terminé de hacer el equipaje y dejé la habitación tan pronto que intuí olvidaba algo. Regresé dos veces al cuarto. Primero a mirar bajo la cama, luego porque estaba seguro que el *cd* con mi presentación había quedado sobre la mesa de noche. Era de esos días en los que todo hay que hacerlo al menos dos veces y en los que a pesar de ello persiste el mal sabor, el presentimiento de que algo se va a derramar. Las llaves de la maleta las perdí, las encontré y las volví a perder. No me dio tiempo ni de tomar café. Ahora que lo pienso probablemente ese fue parte del problema; debería tomar menos café. Para más, el tráfico de Caracas. En esa ciudad hay un tráfico maldito aunque por educación, o tal vez por piedad, durante mi estadía no hice de eso un tema de conversación. El trayecto a la autopista fue accidentado. Una sola vía en la que compartí la misma suerte espesa con un millón de temporadistas que se dirigían a la playa; el lunes siguiente había alguna fiesta nacional y parece que en aquel país las vacaciones sólo sirven para quemarse las neuronas bajo el sol. Como si fuera poco, el taxi no tenía aire acondicionado. Tomó tres horas lo que supuestamente debía requerir cuarenta minutos. Y llegué al aeropuerto hecho una sopa.

Cuando finalmente crucé las puertas automáticas y respiré el aire fresco, sentí que había sobrevivido a la primera mitad de una prueba extrema cuya meta alcanzaría al pisar mi tierra. Algo que hasta el último momento pensé improbable, ya me imaginaba perdiendo el vuelo, remontando la montaña de nuevo, regresando a Caracas, atravesando el tráfico de vuelta. Llamé por teléfono a Mariana sólo luego de chequear el equipaje. Ella me dijo que me esperaría donde siempre, frente al café de siempre, del lado de adentro luego de la correa del equipaje.

En algún momento del viaje mis pensamientos por fin se diluyeron en el sueño que había perseguido durante las primeras horas. Dormí profundamente. Creo que en el fondo sabía, como sé ahora, que esos que enumeraba en un momento de vulnerabilidad no eran realmente asuntos pendientes. Eran asuntos *pasados*. Me desperté con el sonido del aterrizaje. Me asomé por la ventanilla y encontré el horizonte conocido. Entonces fue esperar el equipaje y mirar a Mariana a través del vidrio. Como para revivir el sino con el que comenzó el día, como para recordar la gelatina pegostosa que venía arrastrando desde Caracas y no terminaba de soltarme, una maleta no llegó. Luego fue la aduana, bienvenido a su país, pase adelante. Y Mariana esperándome, sonriente, feliz de verme. Crucé la pared cristalina y nos dimos un abrazo, un beso, nos hicimos las preguntas de rigor, su trabajo, el clima y el tío Eduardo, los niños, y claro, mi viaje. En el camino a la casa le pedí nos detuviésemos en el *Esperanza*. Luego de dos *whiskys* nos fuimos a dormir.

Los desplazados

Asomaste la cabeza y desde la orilla fuiste espectador del fenómeno anual en la Gran Ciudad. Desde la frontera que separa los colores llamados vivos del marrón, el negro y el gris, espiaste el festín de siempre; las personas comportándose como células de un mismo cuerpo, reaccionando vulnerables a un impulso. Observaste deseos íntimos, añoranzas del ocio generalmente disimuladas en la vida cotidiana, proyectos materializados en una huida, en una estampida pública.

Allá abajo iban, los autos embotellados en calles y autopistas, los conductores apresurados por salir primero con sus familias ansiosas y alguna mascota mareada y deprimida presionando su hocico en el vidrio de atrás. Todos en la urgencia de entrar al tragaluz para la fuga. Disfrutaste de la vista. Los techos de los vehículos, un mosaico de cajas, bultos y maletas de colores, obligados con cintas a permanecer en su lugar; cuadrados y rectángulos de tamaños diversos que imaginaste contenían botiquines de primeros auxilios, provisiones o juguetes. Abajo comenzaba la peregrinación que corona siempre en el desplazamiento temporal del ruido. Te consta.

Te conoces el protocolo de memoria. Una vez desplazados los viajeros, queda el vaho en las calles y autopistas, como si las personas o sus espectros aún estuviesen presentes, como si los átomos quedaran exprimidos, arrimados, maltratados por un tiempo hasta que lograran retomar sus espacios otra vez. El eco con sus transparencias se mantiene. Más tarde, el silencio espeso, presionando tus oídos. Una que otra hoja de papel volando en el suelo y pronto atrapada en una alcantarilla, en un poste, para luego continuar su danza hasta aterrizar en un charco tornasol y allí perecer; su superficie penetrada, su existencia hinchada, cada vez más densa, viajando hasta el fondo, deshaciéndose en el camino hacia algún río de escombros. En cualquier otra calle, un transeúnte a la deriva. Un solitario desalentado después de una infame noche de tragos, el ruedo de su pantalón mojado de orine, la corbata suelta, el cigarrillo maltrecho. No hace falta saber qué le ocurre o de dónde viene, desde afuera sólo se nota el ritmo pesado, el arrastre de los pies y el serpenteo dibujado en la ruta de quien no tiene obligaciones ni intención de aparentarlas. Sabes cómo es.

Rodeado del silencio que es tu escudo, sales al mundo. Largo y delgado desperezas la confianza al cielo abierto y comienzas a vivir al sol. Te estiras, como después de una larga noche de sueño y por fin sin miedo recorres la ciudad; no hay quien juzgue, quien diezme tu cuerpo vestido de oscuro. No hay quien tema o se haga temer. Te diriges a un parque, en un banco permaneces sentado durante un tiempo que nadie controla, juegas a imaginar que los otros no se han ido y que tú estás adentro. Niños y familias o sus sombras se te acercan. Más tarde, continúas tu camino, demasiada geografía por recorrer, demasiado lugar por conquistar. Así transcurre tu vacación, el paréntesis de un ausente oficial, de un paisaje oculto en la ciudad de siempre.

Los pies en la tierra jamás se sorprenden

El siglo se agota mientras Andrés, sentado sobre el cañón, espera un milagro. Dibuja surcos en el suelo polvoriento y los observa iluminados de manera intermitente por el reflejo de las luces rojas y blancas de neón: *Los pies en la tierra jamás se sorprenden.* Esa invitación y esa advertencia se ofrece en la entrada de la gran carpa, de jueves a domingo. Hoy es lunes. Andrés mira sus zapatos, la suela desgastada, la punta estrecha y arqueada hacia arriba. Las dos crestas aun rígidas, los dos cascabeles en la parte más angosta. Toma su sombrero de arlequín y lo sostiene entre sus manos. Le da vueltas como a un disco, tal vez el movimiento en el sentido adecuado es capaz de retroceder la rueda, crear el tiempo que falta.

Son las once y cincuenta y tres, y se ha prometido que del siglo no pasa. Hay una fiesta a lo lejos, iluminada de manera intermitente por los latidos del fuego de Aquilino, quien lo traga y lo escupe. Samantha baila el vientre. Las botellas pinchan el cielo, vasos y tazas chocan, delirios salpican los aires, euforias caen sobre la arena cuarteada. Andrés detiene el disco, el tiempo, el sombrero. Lo posa en su cabeza y se pone de pie. No hay razón para esperar que el último grano de arena se extinga en el fondo de la superficie de cristal, pase por el delgado conducto y todo lo explote. Andrés se arrastra al principio pero pronto arranca a caminar, toma impulso y decisión; con cada paso deja una extraña huella sobre la tierra alumbrada. Entra a la carpa. Bajo la cubierta cónica de la pista, protegido por la fiesta lejana, libera su antifaz. Siente algo de escarcha en la punta de su nariz y en la mejilla izquierda. Una lágrima. Una luciérnaga. Acerca la hoja de plata y ya no ve más, sólo puede imaginar el resto, intuirse desde afuera mientras siente el reflejo frío y brillante. Las alas de una mariposa. Un suave tul color plomo. Siente el aleteo y con los ojos cerrados e inundados da al fin las gracias. Termina el lunes. Su sangre es tan tibia como siempre imaginó.

so why suicide?

→ lost his purpose in life?

→ supposed to make people smile and if he can't be happy he can't do it

→ la tristesa de un payaso

↳ takes off mask and is just Andres and kills himself

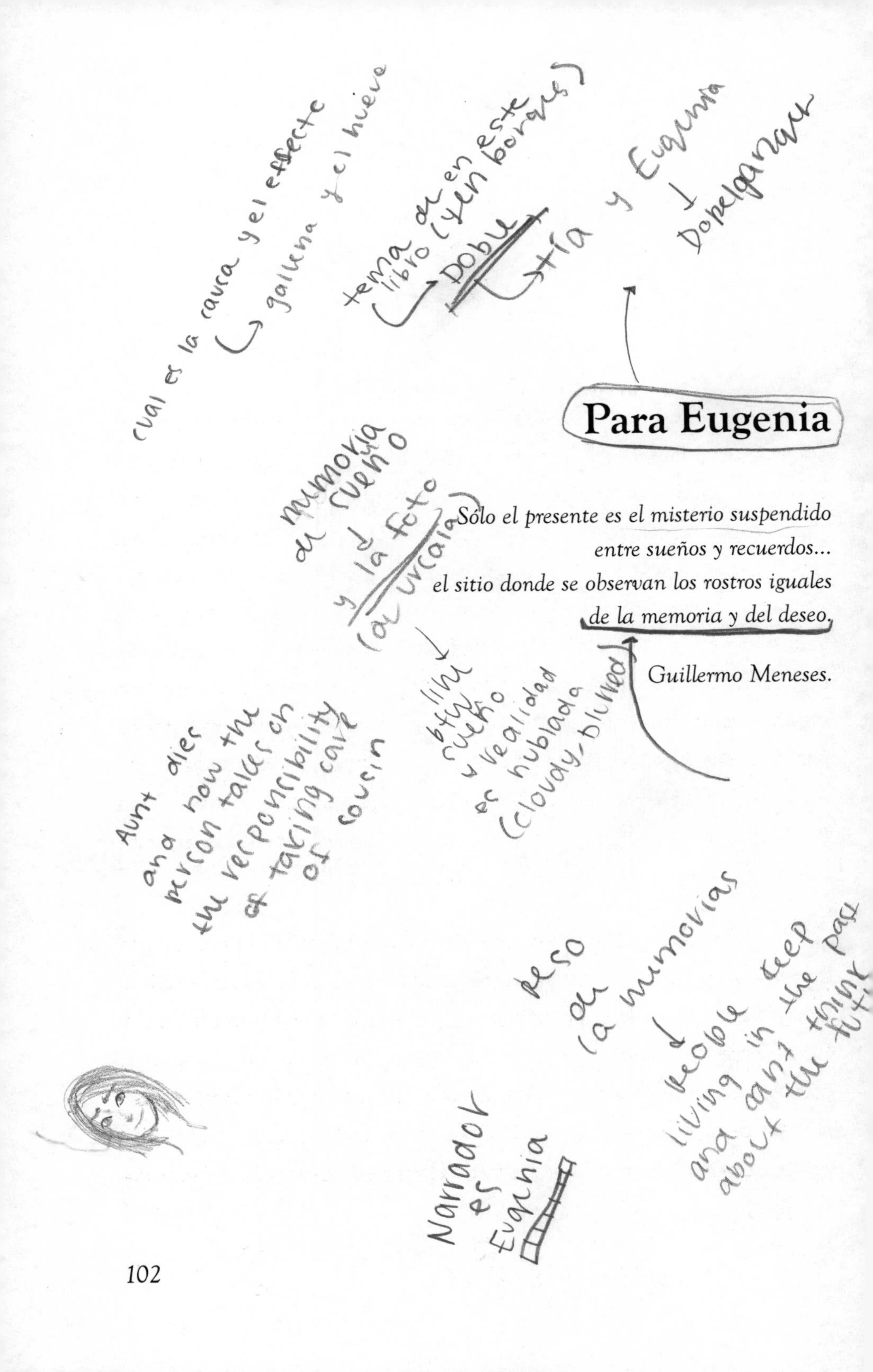

Para Eugenia

Sólo el presente es el misterio suspendido
entre sueños y recuerdos...
el sitio donde se observan los rostros iguales
de la memoria y del deseo.

Guillermo Meneses.

Entré a la casa oscura y nos abrazamos, nos miramos de cerca, cruzamos un par de palabras en voz muy baja. Entonces Elena lo depositó sobre las palmas de mis manos. Para Eugenia, dice en el dorso, en tinta negra. Lo tomé, lo detallé intentando no ejercer presión con mis dedos. Lo sostuve. En esos momentos uno sabe cómo sostener un sobre. Cuando su contenido podría romperse, es delicado, muy valioso. O cuando ofrece una verdad que uno no quiere se confunda o se diluya por un mal manejo del envoltorio. Una verdad que explica quién es uno. En esos momentos es cuando se encuentra el balance perfecto entre apretar y mantener, entre recibir y ceder. Las letras en la caligrafía de la tía Úrsula siempre me parecieron animalitos puntiagudos. No llegan a ser cursivas, aunque delgados hilos de tinta unen cada una de las figuras que componen mi nombre.

Contaba la tía Úrsula que iba siempre vestido de negro, que llevaba una pesada maleta con su equipo fotográfico, los microscopios, las agüitas homeopáticas y las lupas. Que en sus ratos libres registraba los colores del cielo y de la tierra, las temperaturas del agua, que coleccionaba atmósferas en botellas bien etiquetadas. Lo imagino en el patio de aquella casa, cenando en la mesa larga de caoba, frente a la vajilla de porcelana traída de China y el mantel portugués comprados al marchante; puedo intuirlo tras delicadas celosías, escuchar o sentir su tránsito cuidadoso por prolongados corredores sombríos. En el patio de la casa imagino a su esposa sentada en la mecedora, impecablemente adornada, altiva, esperando por ser fotografiada. Lo recuerdo siempre, como si pudiera, como si lo hubiese conocido, en los últimos tiempos retorciéndose de dolor en su habitación amplia y clara, sobre su cama de sábanas de lino cubierta por el mosquitero. Puedo verlo, al final dormido en vida para sobrellevar el sufrimiento y acercarse a la muerte en paz. Mi tía Úrsula contaba que vio el gran fuego desde la habitación. Que no la dejaron salir al patio así que se escondió en su habitación, y que a través de los barrotes de la ventana miró la vida de su padre haciéndose cenizas, sus tesoros echando chispas, explotando, como quejándose o rebelándose ante su suerte, mientras su madre, que presenciaba el espectáculo desde una esquina del jardín sentada en su mecedora, sostenía un pañuelo entre las manos, sin llorar. En esa pira fueron sacrificados los tubos de ensayo, las cámaras fotográficas, las agüitas homeopáticas, los documentos y los libros.

Tía Úrsula decía que la gente que uno ama de verdad, la gente que crea el mundo en el que a los vivos les toca seguir viviendo, no se va nunca. Que los objetos son anclas, son extensiones de las personas, pero que también son yugos, decía, como explicando el fuego, la promesa que fue el fuego en esa casa. Por miedo al contagio había que acabar con todo, no fuese a ser que todo acabara con ellos. Decía eso tal vez justificando al que vertió el líquido inflamable buscando sanidad, al que encendió el primer fósforo. Yo siempre pensé que la

enfermedad de papá Santiago quedó con hambre, necesitando más vida que acabar aún después de habérsela chupado a él, y que por eso se le atravesó también a sus ideas, a sus proyectos, a los recuerdos, al final todos revueltos y vueltos cenizas en el patio de atrás. Aseguraba Úrsula que el árbol de mango que creció años después en ese mismo sitio contenía en sus frutos toda la historia de la familia: que aquel árbol brindaba frutos especiales. Los mangos de papá Santiago.

Yo sabía que Úrsula me había dejado el sobre con Elena por que me lo dijo en nuestra última conversación telefónica. Tu foto, me dijo, ya sabes cuál, Elena la tiene. Luego fueron sus palabras finales, que le cuidara a Elenita, que la visitara. Yo estaba en un país, Úrsula en otro. Yo en un tiempo, ella en otro. Y papá Santiago, más atrás, mirándonos. Papá Santiago, tan cercano a mí a pesar del siglo que nos separa. Por esas cosas del sueño. Y por esas cosas de la familia.

Elena me entregó el sobre y desapareció de mi vista. Elena no guarda nunca nada. Ya me había advertido Simón, que lo que ella hace cuando dice que ¨guarda las cosas de mamá¨ es moverlas de lugar. Como si de las fotos, cuadros, botellas vacías que quedaron, estuviesen colgados nuestros nombres y nuestros gustos, nuestros placeres y nuestras mañas; como si con su desaparición pudiésemos nosotras también quedar borradas. Elena vive obsesionada por guardarlo todo y al mismo tiempo dejarlo a la mano. Por apartar de su vista lo que le arde y buscar a la vez mantenerlo muy cerca. La dejé hacer y caminé unos pasos para acercarme al sofá, donde me acomodé del lado de Úrsula. Cerré los ojos y sentí mi peso sobre el respaldar, como si acabara de llegar o como si no me hubiera ido nunca. Al fondo Elena trajinaba unas ollas en la cocina. Las esquinas de esa sala me huelen a clavo, a dulces de cabello de ángel, los pañitos bordados a mano me huelen a las rayaduras de limón en las natillas de mi tía Úrsula. Elena me preguntó desde lejos si quería un guarapo. Y le respondí que sí.

Siempre he tenido la manía de sentarme del lado de los que se van, como si hubieran dejado algo en el camino y ese algo pudiera adherirse a mi recuerdo, ayudarme a fijar la memoria. Siento que algún corpúsculo abandonado, algún sueño o secreto puede haber quedado allí, a la espera de una nueva vida que lo adopte. Es así, los que se van dejan siempre una huella que indica que han pasado por unos sitios, inventado unas cosas, amado a una gente. Desde esa porción del mundo y del tiempo miré a mi alrededor, pensé que Elena nunca se fue y que no se irá nunca a pesar de la muerte de su madre. A pesar del polvo y del peso que tiene el polvo en esa casa. De los breves espacios que los recuerdos han dejado para la gente en cada corredor, en cada armario, en cada habitación de esa casa.

Comencé a abrir el sobre. Despegué la solapa e introduje mi mano con cuidado no se fuera a maltratar el contenido. En eso llegó Elena, con una bandeja de plata y su mantelito bordado en *crochet*, con el café servido en las tazas de flores pequeñas color salmón, y me preguntó ¿Ya viste lo que te dejó?, con un tono desenfadado, como intentando ocultar su curiosidad.

En el sueño de siempre aparezco pequeña, de unos siete años. Eugenia, con un vestido de *chiffon* amarillo y los pies descalzos, sucios, baja las escaleras a toda velocidad. No logro distinguir su rostro pero sé que intenta escapar o esconderse. Puedo sentir el corazón latiendo rápido en el pecho de la niña, al mismo tiempo que la veo desde afuera o mejor dicho desde arriba. Observo el desgaste de los escalones, las imperfecciones de la madera -esa es una de las cosas que me impactan del sueño y que me impresionan ahora en la foto: en ambos logro detallar ese desgaste, sobre todo en el centro de cada escalón; ese hundimiento que se le hace a las cosas cuando el tiempo ha pasado y ellas se van cansando de soportar la suma de los días y los ajetreos de la gente. En el sueño me sostengo firme del pasamanos para no caer y con una fuerte sensación de vértigo miro a la niña que soy yo misma. El pasamanos, sólido, muy oscuro, traza una línea de tiempo; yo en una historia, ella en otra. Entonces miro a punto de desfallecer por la perspectiva aguda, por la impresión de la caída, cómo la pequeña que fui y que en el sueño continúo siendo, sale corriendo. En el último momento, posa la mano derecha en la pared, como si fuera a detenerse, y parece que voltea a mirarme. Lo siguiente somos las dos, sentadas en la acera. Ella llora, mojando de lágrimas el heladito de coco que tiene entre las manos y yo para distraerla le digo mírate las rodillas, todas raspadas, ¿dónde fue que te metiste? Ahí la persigo, o hago que la persigo para que ella corra y se olvide, para que las escaleras le queden lejos. Es tan pequeña, tan delgada.

Sentadas en el sofá, demorando el tiempo antes de ver la foto, Elena y yo nos tomamos el café, conversamos sobre sus planes y me dijo que se iba de viaje. Que la casa la cerraba pero que no la vendería, que se iba con Simón por un tiempo, aprovechando las vacaciones.

¿Cómo te sientes? le pregunté. Cansada, me dijo. Guardó un breve silencio y mientras daba vueltas a la taza y revolvía el último sorbo de café en el fondo, me dijo que necesitaba espacio para pensar qué hacer con todo esto. Con todo este tiempo, dijo, mirando a su alrededor. Es que son demasiadas cosas, le respondí, pensando sin querer pensar en la pira, que la muerte de los que se mueren llega sólo cuando sus objetos ya no están. Nos terminamos el café y luego, para animarla pero también por que necesitaba compartir mi secreto, tomé el sobre de nuevo, introduje la mano y saqué la foto.

Todo el mundo dice siempre que yo soy idéntica a la tía cuando joven. Mi mamá siempre decía un poco celosa que nos parecíamos mucho en todo: ¡Eugenia y Úrsula son igualitas!, ¡Se entienden sin palabras! Y era verdad, nos entendíamos sin palabras. Luego, de adolescente y hasta que me fui, a los veintiséis, con frecuencia escuché que para saber cómo iba a ser en la vejez, sólo tenía que fijarme en Úrsula. Todavía dicen que así mismo voy a ser.

A Elena se le quebró la voz: ¡Pero si sale idéntica a ti, Eugenia! Igualita a ti pequeña! Entonces se me quedó mirando como diciendo ahora sólo somos nosotras dos; sólo quedamos nosotras dos. Me devolvió la foto, me dio un abrazo, y me dijo que tenía que salir a buscar a los niños: Quedas en tu casa, me dijo sosteniendo mis manos entre las suyas. Y luego: preparé un ponqué de naranja y te aparté la mitad. No lo vayas a dejar. Saliendo repitió que estás en tu casa. Yo no escuché el sonido de la puerta, si es que la puerta hizo un ruido cuando ella se fue.

La primera vez que soñé el sueño de las escaleras me desperté llorando. Como cuando soñaba con la abuela y despertaba bañada en lágrimas, sintiendo que se había vuelto a morir. Abrí los ojos con la certeza de que la pequeña se había ido, tan frágil: esas piernitas bajo su falda amarilla, esos piecitos descalzos. A veces en el sueño Eugenia ya cerca de la puerta de listones vencidos que da a la calle voltea, por un segundo. Voltea, como para ver si yo continúo atrás, como para asegurarse que me lleva consigo en la memoria. A veces aparecemos en el patio, sentadas en el piso del corredor. Yo le acaricio la cabeza, la abrazo, limpio sus manos con tanto cuidado y detalle. Eugenia tiene las manos empegostadas de mango. Yo le pregunto por la niña Amaranta, por su muñeca portuguesa. Que dónde la dejó. Que le hagamos un vestido a Amaranta, le digo a Eugenia.

Se fue Elena y quedé allí sentada, haciéndole la visita a la tía Úrsula. Mi mirada tropezó con un ramo de flores moradas de papel *crêpe*. Fueron tantas las tardes en las que frente a la gran ventana que da al corredor de atrás, a la parchita y al resto de las plantas siempre brillantes acompañaba a la tía. Recuerdo que me gustaba ayudarla a recortar lo que se convertirían en florecitas, en hermosos ramos que adornaban y todavía adornan las esquinas de la casa. Mientras forraba con papel verde los alambritos que servirían de tallo, los demás primos jugaban al escondite o hacían las cosas que hacen los niños. Siempre me invitaban, me llamaban: ¡Eugenia, ven a jugar! Y yo siempre respondía: ¡Es que no quiero!

Perdí la cuenta del tiempo que pasé mirando la foto, o buscando mirar más allá de ella, encontrar una puerta. La foto se diluye en el sueño y por momentos no sé qué parte es real y qué me he inventado. Sólo tengo la certeza que me brinda una foto recibida en herencia, que papá Santiago tomó a su hija Úrsula a principios de mil novecientos y en la que Úrsula parezco yo. No recuerdo esas escaleras, ni esa casa, el portón de la entrada malherido en una de sus hojas, su madera irregular. No podría. Quiero decir que no recuerdo haber estado allí en la vida real, o en la vida de la vigilia. Y que sería imposible pues cuando nací ya esa casa la habían vendido.

La foto de mi sueño. Suena extraño. La imagen que al ver en el baúl de la tía, donde guardaba las cartas de antiguos pretendientes y el ajuar de matrimonio que apenas estrenó, me atrapó en el pecho, como si me hubiera despertado a la realidad de un empujón. Recuerdo que esa tarde lo que buscábamos en el baúl de los misterios era una sorpresa para mí, y que yo me puse a curiosear. Con la foto en la mano le pregunté que dónde me la habían tomado y cuándo. Ella no respondió nada, sino que continuó buscando y sacó del fondo, cubierta con una cobija tejida, a Amaranta. Me la regaló papá Santiago, me dijo, entregándome la muñeca en los brazos. Ahora es tuya; no le digas a nadie, agregó, como si regalármela fuera una travesura. ¡Pero es tuya!, insistió. Y luego: Yo te la guardo hasta que estés más grande, por que es muy delicada. Recuerdo que emocionada le pregunté si podíamos ir las tres a merendar, si la podíamos sacar a pasear un ratito, y que a la cocina fuimos con ella por un dulce de higos.

En el silencio de la casa vacía, en penumbras, me levanté del sofá y sin pensarlo, como si Úrsula me llevara de la mano, entré al cuarto de Elena. Allí estaba el baúl de los misterios, al pie de la cama.

Descorrí las cortinas y me senté en el suelo, frente a la caja, que crujió al abrirla. Amaranta me esperaba envuelta en su cobija. La tomé en mis brazos. Así estuve, mirándola, hasta que sentí la necesidad de irme, de salir y tomar aire fresco. Como enviada por la providencia, hubiese dicho Úrsula, Rebeca me llamó por teléfono para invitarme a una fiesta en su casa. Cerré las cortinas, dejé a Amaranta en su lugar, me despedí de la tía.

No fue fácil encontrarle un sitio. Luego de pasearla por toda la casa y de mostrarla orgullosa a cuanta gente me visita, ahora la fotografía está al final del corredor. Entro a mi apartamento y al final de ese pasillo están las escaleras, estoy yo, Eugenia o Úrsula, en el sueño del vértigo, de la nostalgia, bajándolas cada vez a toda velocidad. Algunos días imagino que la pequeña voltea, que en efecto termina de voltear y se detiene. En esos momentos me suspendo mientras la observo regresar, escalón por escalón, balanceando su breve peso de una pierna a la otra, permitiendo que el *chiffon* de la falda amarilla se meza como una brisa suave en las hojas del mango del patio. Subiendo cada escalón y deslizando su mano derecha a lo largo del pasamanos mientras supera cada desnivel. La tía Úrsula, tan pequeña, viene mirando la superficie gastada bajo sus pies, como para no resbalar, o como diciendo, ¿te lo creíste? Era mentira, yo no me iba.

Snow Angel

Vero lo llama el pino. Alejandra le dice parada de manos. Tomás comentó que traducido desde el sánscrito sería árbol cabeza abajo. Un árbol invertido, con las raíces hacia el cielo.

Llegó a la entrada del subterráneo sintiendo los aguijones en el rostro, la nieve sumirse bajo sus pies, el hundimiento en cada huella, el asfalto muy lejos de las suelas de sus zapatos. El aire parecía rayado, una película sucia. Miraba el piso para protegerse de los puñales. Se preguntó si la policía iría al apartamento y si alguien sabría de la carta.

Al tomar el abrigo pocos minutos atrás escuchó un par de personas llorando, pasos yendo y viniendo, las exclamaciones, las preguntas. Un vaso se rompió. De reojo vio a dos en el piso, enrollados sobre sí mismos. Parece que la de los pantalones café era Nadia. A Andrés le dio por recorrer el apartamento con una bandeja de quesos mal cortados y galletas rotas, hummus con restos de broccoli y tostitos dentro. Nadie comió. Es bueno para la ansiedad, decía él excusándose mientras se llevaba a la boca lo que podía con la mano libre. Cuando Alejandra tomó su abrigo decidió tomar también el de Nico, que estaba justo debajo. Al levantarlo vio el sobre. Nico, decía, en letras de molde. No tuvo tiempo de conocerlo realmente, pero si el sobre estaba allí, bajo el abrigo que había decidido tomar a manera de reconocimiento, como muestra de cariño o como despedida, era porque también le pertenecía. Si te llevas el abrigo te llevas el sobre. Hay cariños que no tienes tiempo de manifestar o incluso de sentir pero no por eso son menos reales. Hay cariños potenciales y esa potencia no se mide. Esta carta es mía. Mirando hacia los lados se aseguró que nadie estaba pendiente y la introdujo en la cartera. Además de los murmullos y el llanto y lo demás, escuchó que agua, pilas y linternas eran ítems indispensables.

Al cruzar la puerta del apartamento y cerrarla tras de sí, pensó que hay lugares a los que no regresas. Mientas esperaba por el ascensor se asomó por la ventana. Abrió para sentir el frío y prepararse, era apenas un resquicio, unos cinco centímetros de ventana abierta dejaba abrir esa ventana. Estuvo pocos segundos. Algunos copos de nieve se posaron en el dorso de su mano izquierda. Las punzadas no dolían aún, el dolor estalla en la intemperie. Se preguntó cuánto cabía en aquellos cinco centímetros temporales de nada, de viento soplando y proyectil helado, y pensó en las huellas, en cuánto se hundirían sus pies allá fuera debido al peso. Se preguntó si la nieve es más acolchada también cuando recibe un cuerpo tenso caer. No te salva todo lo que parece mullido. Se preguntó cuán distinto es aterrizar en el asfalto o sobre la nieve. Los marcos dividen con violencia, pensó luego, aunque era una sensación. Hay pensamientos que se posan, vienen de fuera y se posan por un momento. Me estoy mudando de cuadro. No estoy acá. No estoy allá, se dijo mirando hacia abajo, hacia la calle tapizada. Pensó en lo que sale de cuadro repentinamente mientras cruzaba las puertas del ascensor, salvándose del mínimo precipicio entre esa cápsula y el pasillo que dejaba atrás. Seguirá pensando en los marcos, las cercas y las rejas por un tiempo más, en lo inútiles que son. Sonó el timbre, las puertas se abrieron y salió a la calle.

Llegó hasta la entrada subterránea jugando a pulso contra la tendencia natural de todo al desorden, temiendo el resbalón como a un precipicio. Caminar contra el viento requiere ajustes constantes de la materia. Esto no se parece a las cosas en las que suele pensar Alejandra. Hay que contraer lo que se contrae, dejar suelto lo que puedes soltar.

Abajo suena el tren. A ciento setenta centímetros en un corte vertical hacia el centro de la tierra se están abriendo las puertas del metro. Si los colocas en una horizontal es más que un salto y un estirón: sería cuestión de impulsarse con fuerza, alargarse en la diagonal mirando de reojo la frontera, abajo la línea oscura que separa el andén del vagón. Se pregunta cuánto hay entre ella y el tren a punto de irse, cuánto dura el espacio en esa grieta. De qué me sirve saber.

Es la clase de cosas que debes pensar. No perder de vista la fisura. Cuando estás en un plano horizontal es cuestión de deslizarse de medio lado contrayendo el abdomen mientras el timbre termina de sonar, inhalar levantando las cejas asegurándose de que la mano y ahora el codo y luego el hombro, y luego resto, el hombro y el codo y la mano, pasaron antes de que las puertas se cierren. Lo demás ocurre solo. Ya estás al otro lado. Entraste al vagón. Un momento estás afuera y en el siguiente estás sentada en el tren. Normalmente no te atraviesas en las fisuras.

Al parecer no hay nadie en la estación. Los centímetros acaban de estirarse. Mira hacia los lados. Toca con las puntas de los dedos el monedero. Hay distancias que no recorres. Se acerca al torniquete. Apoya el abrigo de Nico al otro lado. Los cambios de planes requieren ajustes en el cuerpo y su carga, los materiales deben ser dóciles. Se llama torniquete también lo que impide que te desangres. Manos a los lados de la máquina, una pequeña contracción, dobla las piernas, las columpia y da un brinco. Salta y pasa al otro lado.

Se estira la ropa sintiendo las pupilas dilatadas y la piel de los párpados más tensa. Busca de nuevo en su cartera sin mirar. Siente papeles muy lisos que deben ser facturas, la superficie más rugosa debe ser la invitación a la fiesta. Toca el sobre que dice Nico. Piensa que no tiene pilas ni linternas en casa. Está parada sobre un charquito de agua. Nieve derretida, agua limpia. Cuánto espacio o tiempo hay o transcurre entre un copo de nieve y el agua que deja bajo sí mismo al deshacerse. Cuánto cabe entre el agua derretida en el piso y ella. Algo debe haber, una molécula seca. Cuánto hay entre la nieve en un aterrizadero y la sangre que luego del golpe fluye y se disuelve colándose, mientras eso tinto la recibe y cede a su calor.

Ciento setenta centímetros más arriba está la nieve derretida por la sangre de Nico. Los policías ya hicieron su trabajo. La ambulancia ya llegó. La inversión sobre las manos, el árbol cabeza abajo, el pino en la baranda ya fue intentado, y la mandíbula ya se quebró. Las costillas ya son ramas retorcidas y la nariz ya se reventó. La fiesta ya se acabó. De Nico queda lo que ella tiene en sus manos. *Adho mukha vriksasana*, un árbol con las raíces invertidas sobre la baranda de un balcón durante una fiesta larga en la que la gente celebra un final. La vertical tiende a la curva. Es lo natural. El año pasado estabas y este año ya no estás. El año pasado dibujó una parábola que hoy ya se cerró.

Nico pasó a su lado y le sonrió. Pronunció la frase y le entregó el estuche. Alejandra sonrió de vuelta. La última noche antes del primer día del año estaba por terminar, se anunciaba el sol. Esto es un decir, hoy no hay sol. Él siguió, le entregó el cigarrillo a Nadia, que se quedó con la palabra sostenida. Él siguió, no la escuchó o decidió no responderle para mantener el enfoque. Cruzar la frontera requiere enfoque. Invertirse sobre las manos en una baranda no debe ser fácil. Habrá pegado una carrera, habrá tomado impulso, supone Alejandra. Fue muy tarde cuando Nico se arrepintió si es que se arrepintió y trató de devolver el peso de su cuerpo aún vivo al piso cinco. Las axilas se estiraron y el abdomen no pudo aguantar. Los pies dibujaron un compás hacia el vacío y Nico dejó el balcón, cruzó la fisura, le pertenecen ahora la película sucia y la nieve. Seguramente nadie miraba, nadie fue testigo de la carrera o del brinco ni de los pies en el aire, nadie corrió a ayudar, a sostener, a salvar. Ahora me ves a hora no me ves. Juegos macabros. En las fronteras no haces el pino, cabrón. Hay procedimientos. Seguramente nadie miró.

Guárdame esto, le dijo. Ella tomó el estuche, le pareció extraño pero ya habrá tiempo de saber qué quiere, pensó. Ahora le pregunto qué es, pensó tomando el estuche sin mirar hacia los lados para no perder el hilo de la conversación que no recuerda con la chica morena cuyo nombre no parece saber. Una fiesta es una fiesta las primeras seis, siete horas. Habría que saber irse a tiempo. Abrió el estuche. Ron.

Ella se pregunta cómo es que diez segundos más acá, estrenando el año nuevo en una fiesta más larga de lo normal, Nico le entregaba una carterita de ron; y diez segundos después él mismo era una estrella en el suelo con un hilito de sangre saliendo por la nariz.

Los niños de esta ciudad le dicen *snow angel*. Pocos segundos más acá le entrega algo. A Nadia le da el cigarro, apenas baja la velocidad y le da el cigarro, y sigue. Normalmente cambias de velocidad en la fisura. Hay formas. Pero él no frena ni acelera y eso chirría: camina como esperando que el precipicio se convierta en algo más, en un puente desplegable que no existe. Alejandra no le presta atención, pocos segundos conversando quizás sobre la nieve de mañana, aunque mañana es hoy, ya está saliendo el sol lo cual es un decir, lo que puedes ver es un gris menos oscuro venciendo la noche, asomándose. Pero cuando vuelve la vista hacia el balcón ya Nico no está. Y ahora, sentada bajo tierra, mientras espera que el tren cierre sus puertas y al fin avance, bien sentada en su silla naranja y mirando hacia el andén vacío, cree, le parece, que tal vez vio los pies de Nico pintando el aire como un compás.

Acá abajo sólo se escucha la voz cíclica flotando sucia, filtrada, una grabación repitiendo siempre lo mismo. Toma un trago largo que raspa la garganta. Cuánto tiempo pasará entre el árbol invertido, el *bloody angel*, el torniquete y el sonido del timbre antes de que las puertas se cierren. Cuánto falta para que agregue las últimas gotas de ron al café recién hecho y mirando desde la ventana de su cocina, con el sobre en la mano, se diga que no, que ella no vio nada. Que ella en el fondo a Nico no lo conocía tan bien.

Las alas de Rafael

En mi primer recuerdo, Rafael aparece en el tope del gran muro de piedras de la Universidad de California en Berkeley. Aparece, más exactamente, de pie sobre el borde del muro moviendo los brazos hacia arriba y hacia abajo como un pájaro, flexionando las rodillas y aleteando, como si fuera a saltar. Como si fuera a saltarme encima. Luego de un tiempo que en el recuerdo aparece como excesivamente largo, Rafael se lanza y cae a mi lado, tan liviano como subió.

- Esta es la universidad – me dice.

- Ya me di cuenta - le respondo.

En mi segundo recuerdo estamos en el apartamento de María y Roberto, durmiendo en la misma cama con ellos y rodeados de conejos. A la derecha de la ventana, en la esquina, una pila de ropa sucia de la que nuestros anfitriones van sacando cada día la menos hedionda para vestirse. Olor a sudor guardado y a marihuana es lo que se respira en el lugar.

El tercer y último recuerdo de ese tiempo es este: Rafael y yo aparecemos en un parque de *boulders* en las afueras de Berkeley. Las rocas son animales prehistóricos, lentos. Sus bordes se dibujan, sus siluetas contrastan con el azul intenso del cielo invernal. Hace frío. Los monstruos están helados. Rafael dice que para mantener calientes las manos hay que moverlas. Mientras descansamos de las distintas embestidas a esas formas oscuras de mínimos agarres y techos interminables, giramos las muñecas hacia un lado y hacia el otro, estiramos los antebrazos, luego cada dedo y las palmas, una a la vez, haciendo una palanca hacia el suelo con la mano opuesta. Los brazos están inflamados de tanto escalar, el estiramiento arde en la piel pero calma el entumecimiento. Rafael dice que dolor es placer y también que su gran sueño es saltar en paracaídas desde El Capitán.

Yo conocía esa pared pues él mismo me la había mostrado en una postal arrugada y maltratada que llevaba en su mochila a todos lados. El Capitán: una pared de granito de mil metros, con un corazón hundido en todo el centro, y un relieve que parece una nariz y que así se llama, la nariz. Ese era su sueño, saltar de ese borde; el otro era volar desde el Salto Ángel. Muchas personas aseguraban que Rafael tenía problemas con la bebida. Que se ponía violento al tomar. Fue en ese parque de *boulders* que le pregunté si eran ciertos los rumores; yo había escuchado que él y la novia se trataban con violencia. Quise saber si él le pegaba a las mujeres. Él no respondió, frunció el ceño y se puso de pie.

Más tarde, con las manos enrojecidas, sintiendo el frío y su alquimia con el sudor acumulado bajo las ropas de invierno, nos establecimos tras la roca más grande para protegernos del viento y bebimos un café. Los dos usamos la tapa del termo plateado cubierto de calcomanías como taza. Yo cubría de esparadrapo el dedo medio de mi mano derecha para proteger una ampolla a punto de explotar, y él sacaba los implementos necesarios para desgranar y separar las semillas de las pequeñas hojas que traía en su mochila.

- Yo aprendí que tomar de una botella es violencia segura, sangre. Yo abro una botella, de lo que sea –me dijo acentuando *lo que sea*, y mirándome muy seriamente- y pierdo el control. Tengo demasiada energía, Ale; no la puedo controlar. Ahora, – continuó mientras llenaba el *rolling paper* y comenzaba a deslizar sus pulgares hacia los demás dedos extendidos, señalando con la boca hacia el tubito de hierba en sus manos: - ahora ya no me peleo. Vivo tranquilo. He aprendido lo que es dejarse llevar, *go with the flow,* le dicen los gringos.

Guardé silencio, tal vez por que estaba concentrada o asombrada por el contraste entre la delicadeza del movimiento de sus dedos para cerrar el cigarro, y la apariencia tosca de sus manos enormes y fuertes, inflamadas a consecuencia del trabajo en construcción y de las escaladas de gran pared. Esa tarde volé por primera vez; él llama así a sus masajes: volar.

Acostado boca arriba en la grama, con los brazos y las piernas extendidas hacia el cielo como un recién nacido, Rafael da un par de indicaciones y termino acostada sobre la superficie que me brindan las plantas de sus pies y las palmas de sus manos, con el pecho hacia las nubes y los brazos relajados, como muertos. Siento cuatro hitos en la zona baja y alta de mi espalda que comienzan a moverse a lo largo de mi cuerpo. Estoy mirando el cielo y las nubes blanquísimas mientras siento el pecho abrirse al sol. Rafael me toma un brazo, el otro, gira mi cuerpo, me pliega y me despliega, arquea mi espalda y luego me extiende. Estoy volando. El frío desaparece. Cuando me baja al suelo de nuevo flexionando sus rodillas y posándome en la grama lentamente, es hora de irse.

En Yosemite acampamos por un tiempo. Allí nos refugiamos en un bosque de rocas y pinos, rodeados de osos *grizzlies* que nunca vimos y de guardaparques, que pronto entendí eran seres tan peligrosos como los mismos animales que tanta curiosidad despertaban en mí y de los que debíamos protegernos. Todas las madrugadas era necesario recoger el campamento y no dejar rastros de la estadía nocturna por la que no habíamos pagado ni un centavo. Luego, era preparar el café y desayunar calmados, como turistas comunes y corrientes, o al menos legales. Una de esas mañanas, estando yo sentada en el borde de la camioneta volkswagen color verde, y Rafael dedicado a los quehaceres del hogar rodante, se instaló a mi lado con dos tazas humeantes y señaló hacia El Capitán.

- Hace un año lo escalé con Javi. La tercera noche, como a setecientos metros del suelo, nos acostamos a dormir. Yo no me puse el arnés. - Sin importar a qué distancia se encuentra del suelo, Rafael nunca usa arnés para dormir: dos metros, cien, ochocientos, da igual. El caso es que tal como me contó esa mañana, luego de calentar las dos latas de granos rojos en la cocina que más adelante yo misma ayudé a reparar, y de devorar su banquete, sucumbieron al sueño.

- En la mitad de la noche, un sonido como el de un bloque de roca cayendo a toda velocidad nos despierta. ¡Mierda, Javi! – ahí Rafael me miró con los ojos exorbitados imitando el sonido del roce de la roca contra el viento y haciendo la mímica de quitarse hacia un lado, un gesto que de haberlo hecho en aquel momento debió resultar inútil: no hay donde esconderse cuando se duerme en una pared vertical y cae algo de arriba. - Primero pensé que era un bloque, que se había desprendido un pedazo de montaña - continuó diciendo Rafael con la expresión de pánico reeditada en su rostro. - En eso abro bien los ojos y cuando veo son dos masas cayendo. Le digo a Javi: ¡coño Javi, se cayeron dos tipos!, y ahí escuchamos otro sonido: una explosión. En eso se abren dos rectángulos: uno amarillo y uno azul. Y comienzan a deslizarse. A volar.

- Impresionantísimo, - concluyó Rafael mientras señalaba con el tabaco en su mano derecha la línea imaginaria de la caída a lo largo de la pared rocosa. En ese momento el agua para la segunda taza hervía, así que él se dio media vuelta hacia la cocinita de gas mientras imitaba en voz baja el sonido del paracaídas y señalaba con su mano, o mejor dicho con su tabaco ya casi muerto, hacia la superficie de granito infinita. Esa mañana, mientras desayunábamos, Rafael dijo que era necesario tomar dos decisiones importantes: - Primero, que va a escalar Ale, y luego, con quién.

Para decidir el primer asunto, Javi sacó del fondo de la camioneta un libro maltratado y lleno de tierra: la guía de escaladas del parque. Definir lo segundo requirió un ritual que se convirtió a partir de entonces en el "ritual de siempre": sacar tres palitos de fósforo, romper uno, mezclarlos y dar a elegir a cada quien. Esa vez yo tomé primero una de las maderitas largas, y luego ellos sortearon las suyas. Como resultado, Javi pasó el día entrenando sus acrobacias y malabarismos, haciendo equilibrio sobre una cuerda que tensó entre dos árboles, mientras Rafael y yo seguimos camino hacia la pared.

No recuerdo cuánto medía. Sólo que me pareció muy alta y que a menos de la mitad del trayecto me quise bajar y ahí Rafael me explicó que ya no se podía, estábamos demasiado lejos. Mirándome desde afuera pensé en las ganas que tenía de llorar, o en lo coherente que podía ser llorar estando tan lejos del planeta. La autocompasión dio paso al silencio y no dije nada, tal vez por que ahí estaba Rafael tomando unas fotografías con su cámara portátil forrada de cinta adhesiva de plomo, y me distraje. Días más tarde, en pro de la supervivencia económica de la familia que pronto conformábamos, revelamos las fotos en un formato muy pequeño. Unos cuadritos casi tan pequeños como los de fotomatón. En estas imágenes, que son las de mi primera escalada, parezco una niña, llevo el cabello corto y luzco muy delgada. Atrás se ven los pinos. Mínimos. Al mirarlas puedo sentir el sol resplandeciente y el viento en el rostro, los zapatos demasiado ajustados y los dedos de los pies dormidos. Conservo esas fotos junto a la correspondencia que Rafael escribió desde California, desde Perú o desde la Patagonia, durante los seis años en los que supe de él. En Caracas, cada vez que yo llegaba a mi casa lo primero era preguntar si había algo para mí. La mayoría de las veces la respuesta era que no, aunque de vez en cuando me esperaba un sobre escrito en esa letra de estudiante de primer grado que Rafael nunca cambió, y que yo entendía como su manera de llevar la contraria. Esas tardes me encerraba en mi habitación y me sentaba en el suelo, siempre en el mismo lugar, para abrir la carta muy poco a poco, en silencio y en solitario. Entre las cosas que podia encontrar dentro del sobre: una hoja otoñal, una calcomanía con el logotipo de equipos de escalada o de montaña, la foto de algún paisaje sin sujeto humano visible, o una servilleta con una frase corta y cariñosa. Por ejemplo, una vez recibí una de Perú que decía hola pajarito hola pajarito hola pajarito, por delante y por detrás. Más adelante, desde Colombia, me llegaron unas barajitas de animales que venían dentro de los paquetes de chocolates *jet* (me parece que los colombianos llaman a los chocolates "chocolatinas" y a las barajitas "pegantinas"), y que comenzamos a coleccionar formalmente luego, cuando yo fui de viaje a ese país y lo encontré viviendo en Suesca, trabajando como guía andino. Otras veces el sobre podía contener un dibujo; conservo por ejemplo el de una montaña y una línea de ascenso dibujadas en bolígrafo, con una flecha apuntando hacia el lugar en el que un muñequito dice en un *fumetto* las palabras "¡Estoy en el Chopicalqui!". Sólo en ciertos casos las cartas estaban escritas como cartas y contaban cosas, hablaban de picos y altitudes, de nuevos planes de escalada, de equipos intentando conformarse para lograr una nueva cumbre: existía la oportunidad de trabajar en Huaraz como guía de escalada, le habían ofrecido ser encargado de un refugio de montaña cerca del Chimborazo, o había una invitación a proyectar diapositivas en algún centro excursionista de Barcelona.

Tiene unas piernas muy flacas. Él es corpulento, pero sus piernas son delgadas. Cuando sale de viaje puede cargar en la espalda más de cincuenta kilos en hierros de escalada, equipos de montaña y comida, sin quejarse por un segundo. Suele ofrecerse para llevar lo que sea de la carga de sus acompañantes, con tal de evitar que se agoten y el viaje tenga que cancelarse a medio camino. Durante los ascensos come poco, habla poco, no se detiene casi nunca, y jamás tiene frío. Para él nada es inconveniente, todo es "parte del entrenamiento", disciplina de montaña. Siempre insiste en que con un trozo papelón y una bolsita de granola es posible sobrevivir semanas, y sólo se queja ante el mal tiempo. Ha caminado y escalado con las rodillas lesionadas y adoloridas, sólo deteniéndose al verlas infladas como melones. Como es lógico, el cuerpo se le ha desgastado progresivamente a consecuencia de esa mezcla extraña entre ascetismo y obsesión que lo mantiene en pie hasta el final de cada viaje. En efecto, un par de veces regresó a Caracas casi inmovilizado por el dolor y tuvo que operarse. Otra vez se le congelaron los dedos del pie izquierdo y volvió a su casa quemado, en muletas. Fue luego de sus dos operaciones de rodilla cuando comenzó a hablar con más insistencia de lo del vuelo: era lo mejor, subir las montañas a pie, hacer las cumbres, y luego descenderlas sin peso innecesario sobre las piernas.

Cuando fuimos a la Sierra Nevada del Cocuy, los tres viajamos desde Caracas hasta Bogotá en autobús, y luego de un par de días de diligencias en esa ciudad nos dirigimos a la montaña. A ese viaje llevábamos tanto el equipo de escalada en roca como el de hielo. Yo cargaba en mis espaldas algo más de veinte kilos sólo en equipo personal de escalada y algo de comida. Ellos llevaban todo lo demás en sendas mochilas que los superaban en altura un par de cabezas, y que no deben haber pesado menos de cuarenta kilos cada una. El Ritacuba Blanco es un triángulo isósceles: uno de sus lados (el vertical) es de roca y hielo, mientras los otros dos, de nieve y hielo. Durante ese viaje ascendimos una de sus paredes nevadas; Rafael iba conmigo, o mejor dicho esperándome en cada paso difícil, y Javi iba más atrás, había salido luego y caminaba en solitario, con la idea de ir con calma y además ayudarme si yo me quedaba por el camino o me tenía que regresar.

En esa excursión aprendí que las botas deben guardarse dentro de la carpa porque si se dejan afuera se congelan, y que de todos modos ponérselas en la mañana es siempre un suplicio porque la temperatura hiela los dedos en un segundo y los pone como cambures insensibles, color morado. Aprendí a cocinar derritiendo hielo para hacer agua, y a preparar delicias instantáneas, que, no hay que engañarse, no es un trabajo tan sencillo como puede parecer: las instrucciones en el dorso de un paquete de comida deshidratada a mil metros de altura, en una ciudad cualquiera o en la cocina de una casa, nada tienen que ver con lo que hay que hacer para prepararla a cuatro mil metros, con menos oxígeno, y viento helado alrededor. Aprendí que la granola y el papelón en efecto salvan un día de caminata extenso, que no hay libertad mayor que irse así, sin plan ni fecha de retorno, a caminar por el mundo, y que soy exageradamente friolenta. Sólo usar trajes de montaña requiere entrenamiento. Las cuatro capas de ropa, desde la interior de invierno hasta la chaqueta impermeable, convierten el cuerpo de cualquiera en una mole pesada y grande. Tomar con las manos una cuerda, es decir, con las manos, y el guante muy delgado que le sigue, y el siguiente de fibra polar, y el de afuera, impermeable y más grueso, es, en sí, una odisea: no se siente absolutamente nada; para saber lo que se está haciendo es necesario mirar lo que se está haciendo. Con los pies ocurre algo similar, considerando que están cubiertos por medias generalmente dobles o triples y un escarpín térmico, seguido de una cubierta gruesa y dura de plástico o de cuero, es decir por las botas. Encima, o mejor dicho debajo, en la planta, van los crampones, las puyas que permiten clavarse a la nieve y no resbalarse cerro abajo, o grieta abajo. Luego son los lentes, los pantalones de montaña, la mochila, el arnés. Ese día hicimos cumbre luego de seis horas de camino, y claro, algo de granola y agua y papelón. El momento célebre resultó para mi sorpresa un evento breve, silencioso, apenas condimentado por la toma de una o dos fotografías que por cierto nunca vi, y sobre todo marcado por la necesidad de comenzar a bajar. El tiempo no estaba muy bien, se veía poco, venteaba con fuerza.

- Descansamos un momento y vamos de vuelta. Te felicito cuando lleguemos abajo –. Fue ya en el campamento, a unos cinco mil metros de altura, cuando celebramos con una sopa de espárragos, un risotto de hongos, y una tableta de chocolate que llevaba Javi "encaletada" junto a un pequeño equipo de música (por supuesto forrado en cinta de plomo), en el que esa noche escuchamos, según indicaba la etiqueta del cassette, "ligaditos montañísticos de hoy, de ayer y de siempre", es decir canciones como *Dueño de ti dueño de qué dueño de nada* y *Voy a perder la cabeza por tu amor* de José Luis Rodríguez

"El Puma", *Me olvidé de vivir* de Julio Iglesias, y otras de Rocío Dúrcal que no recuerdo.

No sé qué tenían esos dos con aquella música, pero les fascinaba, se la sabían de memoria y claro, la ponían siempre. Un par de días más tarde yo todavía me recuperaba en el campamento, y ellos dos se preparaban para ascender la pared de roca, más difícil y peligrosa, de la que bajaron luego de tres noches, agotados y sonrientes.

La última vez que fui a Berkeley lo primero que me mostró fue su paracaídas. Ese mismo día buscamos a Javier en el circo de las acrobacias donde lo encontramos subido a un columpio y haciendo mortales de los que salía de pie y en equilibrio perfecto. Desde allí fuimos a un abasto cercano a comprar cervezas y nos dirigimos hacia las afueras de la ciudad. Luego de cruzar dos grandes puentes terminamos estacionándonos en una urbanización silenciosa, o sería la hora en la que cualquier suburbio es silencioso. Los dos buscaron sus paquetes. Cruzamos la calle angosta y oscura, y dos cercas de alambre de púas (por debajo). Entonces caminamos sobre varias colinas negras como monstruos marinos en la profundidad. Sólo se distinguían sombras, nuestras sombras, y la de una antena de cincuenta metros de altura hacia la que nos dirigimos veloces y sin hacer el menor ruido. Subimos las precarias escaleras de aluminio. A medio recorrido Rafael me preguntó si tenía miedo y yo le respondí que no.

Era cierto, no tenía miedo. Ahí me explicó que me tocaba bajar los cincuenta metros sola en la oscuridad, pues ellos se iban por su cuenta, claro.

Una vez en el tope de la antena, Rafael abre su mochila mientras canta *Rompe Saraguey*, siguiendo el ritmo de la música imaginaria y meneando las caderas, haciendo pasos de salsa. Estoy en una torre de electricidad, a más de cuarenta metros del piso, en medio de la noche oscura y en un país extraño. Él extiende la tela en el suelo y la recorre con su fiesta, en un estilo más parecido al de un brujo haciendo un ensalmo que al de un deportista extremo a punto de entrar en acción.

- Lo más importante a la hora de saltar es que las cintas y los nudos estén donde deben estar- me dice mientras abre una nueva lata de cerveza (no una botella, una lata) y se la toma de dos, tal vez tres tragos. En pocos segundos ya está en el borde, listo. Estira el cuerpo, extiende los brazos, y da el primer paso al vacío.

Me asomé del borde y apenas logré verlo; todo es muy rápido en el aire. En eso escuché el sonido de una bolsa inflándose con fuerza, el golpe de una vela agitada por la brisa del mar. Me acerqué un poco más y pude ver el cometa abierto, muy cerca del suelo. Bajé rápido las escaleras enclenques y al llegar a tierra ya Rafael reempacaba su paracaídas. Caminamos en silencio y nos subimos a la camioneta.

Al día siguiente me desperté temprano y no había nadie en el apartamento. Pasé por el circo y Javi estaba allí. Me dijo que de Rafael no sabía nada y me invitó a escalar cerca de la ciudad.

- Seguro que Rafael está en una de *relax*. Ese aparece más tarde, - me dijo. Yo sabía cómo eran los días de *relax* de Rafael y de todos los amigos comunes; yo misma de vez en cuando me procuraba uno.

Aquellas jornadas transcurrían lentas y lisas, suaves y mullidas ante mis sentidos, como transcurrirían ante los sentidos de cualquiera que se dedicara a fumar y a comer, a dormir y meditar en pasajes azules y venteados durante el día entero. Así que lo único que podíamos tener por seguro era que Rafael no pensaba en nosotros a esas horas. Javi y yo salimos juntos del circo, preparamos el equipo y nos dirigimos hacia el parque donde hice la ruta de escalada más difícil que había hecho hasta entonces. Durante esos días largos e intensos normalmente no hay tiempo ni pensamiento para nada más que no sean los colores y las texturas de la roca, el dolor en el cuerpo, el sudor en las manos; no parece existir nada más en el mundo que el paisaje ilimitado y los pies siempre precisos y apegados a la línea vertical. Es decir que así como de Rafael no supimos nada, tampoco pensamos nada más.

Ese fue el día de los chocolates. De regreso, ya al atardecer, nos detuvimos en el supermercado para comprar lo que necesitaríamos durante la siguiente estadía en Yosemite: latas de sopas y granos de distintos sabores, pan, mermelada, avena, mantequilla de maní, pasta y café, principalmente. Cuando llegamos al estacionamiento ocurrió algo fuera de lo común. Javi dice:

- Quédate en el carro, ya vengo. - Yo le digo que no, que lo acompaño, pero él insiste en que permanezca en el carro. Total, acepto quedarme. No ha pasado mucho tiempo cuando distingo la silueta de Javi atravesando el estacionamiento y caminando hacia mí, sin nada en las manos. Sube al carro, lo enciende sin responder mi pregunta obvia, y ya en la autopista levanta su suéter. Una tonelada de barras de chocolate cae regada por todos lados.

- Son para ti, -me dice. - Es tu premio.

Javi no estaba robando chocolates, me explicó luego, era un acto de anarquía, de rebeldía contra el sistema. Me dijo esto y otras cosas sobre la vida del inmigrante y el trabajo en la construcción, y terminó agregando: - Además, hay que celebrar la escalada de hoy.

Más adelante, ya de noche y empalagados, nos detuvimos en otro supermercado, nos bajamos juntos y compramos todo lo que hacía falta para nuestro viaje. Ahí sí pagamos. Cuando llegamos al apartamento Rafael no estaba. No apareció sino hasta las once de la noche, con un pasaje a Venezuela en una mano y una mochila armada en la espalda; recién afeitado, con los ojos brillantes, o vidriosos más bien, y el ritmo del que ha estado "en una de *relax*", tal como nosotros imaginábamos.

- Me encontré con estos japoneses- le dijo a Javi haciendo referencia a unos japoneses que yo no conocía ni conozco. – Que tienen todo listo y un puesto libre. Que me vaya con ellos, que necesitan quien hable español y conozca la selva. – Y luegodijo como esperando que nosotros celebráramos: - ¡Me voy al Salto! - Mirándonos con la mirada del que ya se ha ido y que Javi y yo le conocemos tan bien. Javi ni lo vio a la cara. Sólo sé que le preguntó que cuándo se iba y sobre todo, por qué no lo habían invitado también. Los detalles de la conversación los supe al día siguiente, pues en ese momento yo me di media vuelta y me encerré en mi cuarto a comer chocolates y escuchar *Cypress Hill*. Lo siguiente fueron diez días inolvidables de despecho y escalada en Yosemite, durante los cuales ni Javi ni yo mencionamos el nombre de Rafael.

Fue mucho tiempo después cuando nos encontramos en Caracas. Para mi sorpresa, una tarde cualquiera sonó el teléfono y era él: - Estamos muy cerca, - me dijo. En pocos minutos yo salía hacia la plaza Las Tres Gracias, donde encontré en la esquina sur a un hombre vestido de arena y barro, barbudo, delgadísimo, y con el cabello largo y enredado. Un náufrago. En esa oportunidad, luego de un par de semanas de recuperación, es decir de comer de todo y a toda hora, se dedicó a saltar de cuanta torre y cuanto puente fuese posible. Por ejemplo de Parque Central. – Tengo un nuevo proyecto. - Me dijo en esa oportunidad. - Lo único que necesito es que me pases buscando.- Entonces me explicó el plan; él llegaría a las moles de concreto a las cuatro y media de la tarde, en taxi, vestido *de civil* (es decir con ropa de ciudad, de persona *normal*), y con un pequeño morral en la espalda. Subiría al ascensor de la torre Oeste y se bajaría en el piso veintitantos. Así fue:

Al abrirse las puertas, caminó por un pasillo vacío, ubicó las escaleras y por ellas subió unos veinte pisos más, en silencio. Una vez alcanzada la altura necesaria, se asomó por las ventanas para mirar los cuarenta y tantos pisos de aire que lo separaban del suelo, y entró a un baño para sentarse a esperar en el piso de una de sus cabinas. A las diez de la noche le envié un mensaje de texto al celular.

Lo más difícil fue detener los vehículos que transitaban la Avenida Bolívar a esa hora, para lo cual estaba por supuesto, Javi, haciendo de fiscal de tránsito, silbando un pito y gesticulando serísimo. Desde el suelo, yo esperaba con la cámara de video apuntando al cielo difuso, como aguardando la caída de algún ángel descastado. Imaginé el ritual con el cometa, la pronunciación de alguna frase secreta. Nada más. Pronto fue la pequeña figura extendida, saltando al vacío desde una de las muchas ventanas abiertas. Peatones, algún indigente y dos vigilantes nocturnos comenzaron a mirar al cielo y pronto a aplaudir, curiosos por nuestra operación comando, como la había bautizado Javier. Nos contó Rafael luego que desde arriba todos parecíamos hormigas. Al pisar tierra recogió el paracaídas en un sólo nudo y subió al automóvil sin socializar. Debíamos salir de la avenida muy pronto; saltar desde Parque Central está prohibido, igual que saltar desde aquella torre en las afueras de Berkeley y desde la mayoría de los lugares que a él se le antojan deseables.

- Ya tengo todo el dinero para el traje de pájaro - me dijo como al descuido la última tarde que nos vimos mientras se bajaba del carro, haciendo referencia a un equipo de paracaidismo que parece de murciélago: un traje con aletas o triángulos de tela entre los brazos y el torso, y entre las piernas, que hacen más lenta la caída y más lejano el desplazamiento en el aire. Luego, colocando la mochila en su espalda agregó:

- Es azul.-

Yo le respondí que teníamos que verlo, que cuándo le llegaba, y si ya lo había pedido. Su respuesta nada tuvo que ver con mis inquietudes: - Tú sabes que donde yo esté tú siempre puedes aterrizar, ¿no?. – Dejó caer la frase como si viniese al caso, al descuido. Aunque en seguida supe lo que anunciaba en clave, no sé por qué no respondí nada, supongo que en el momento no supe qué decir; sólo le di un beso y un abrazo de despedida.

Ahora que ha pasado algún tiempo, cada vez que pulso *play* puedo mirar su rostro sonriente, saludando a cámara, con su traje de pájaro color azul, y el glaciar enorme y esmeralda bajo la Torre Central del Paine a sus pies. Luego, unos pocos segundos de imagen temblorosa, el sonido de una respiración agitada, y Rafael extendiendo el pecho al viento, al glaciar. Finalmente, su danza por los aires hasta aterrizar en la roca indistinta color grisáceo. Él no vuelve, no por ahora. Esto no lo dice el video, ni alguna carta o mensaje escrito que lo acompañara. A mi casa llegó un CD dentro de un sobre sin remitente que decía sólo: Desde la Patagonia, con alas nuevas, para Ale.

Eclipse

Por algo más de veinte dólares me entregó una bola de 20 gramos. No sé si dije gracias. Salí sin mirar hacia atrás y con la respiración acelerada, preguntándome si había perdido la práctica y pronto respondiéndome que no. No es lo mismo Katmandú que Caracas. Pero algo nuevo tenía que pasar. Cuando la mente se estanca hay que moverse, cambiar el orden de los muebles, patear la montaña, ir a la peluquería, salir de viaje, fumarse un tabaco. No tenía casa, ni muebles. Caminar, había caminado más que suficiente para saber que no había sudor acumulado, ni días continuos de ascenso, ni noches estrelladas a la intemperie que sirvieran de algo. Ánimos de cortarme el pelo –aunque mal no me hubiese caído– tampoco tenía. Por lo demás, no sólo ya estaba de viaje, sino que comenzaba a hacérseme largo y a la vez no encontraba las ganas de ponerle fin. *Finger hash.* Regresé a la posada. Me senté en la cama. Audífonos y play. Escribí un par de postales, doblé cuidadosamente la ropa recién lavada, conté el dinero que quedaba y lo ordené en fajitas para volverlo a contar. Cuando me desperté tenía un plan. Desde hacía semanas no veía las cosas con tanta claridad. Punto. Final.

En el bar de Internet contacté a la italiana de Palolem, reservé el pasaje de avión a Chennai y revisé el horario de autobuses de Goa.

Esa misma noche ordené la mochila a esas alturas del viaje medio vacía. De trenes había tenido suficiente. No más horas interminables de viaje y de calor. O eso pensaba. Esta vez me iba en avión.

Querida Dayana, después que te escribí un email larguísimo el *internet* no funcionó y se perdió la información. Lo lamento pero no puedo volver a escribir todo otra vez. Te diré todo cuando llegues. La escuela acá es estupenda. Buena de verdad. El maestro es tremendo. Voy a pedir un taxi para que te busquen a la estación de autobús. Es muy agradable ver tu nombre, que alguien te esté esperando y no tener que pelear con los indios. Vamos a ver si tengo suerte esta vez y este mail no rebota. Espero conocerte pronto. Un abrazo. Y cuídate. No estés comiendo en la calle.

Shanti!

Poco antes de salir al aeropuerto le escribí algo muy corto. Erica, gracias por todo. ¿Dices que la posada está frente al mar? Cuando nos conozcamos mejor te contaré, no estoy buscando una escuela de yoga. No te preocupes por el taxi. No hace falta. Besos. Y muchas gracias.

No había terminado de presionar *send* cuando recibí otro correo:

Se me había olvidado: trae una toalla porque en la posada no hay, ellos te dan sábanas y cobijas pero toalla no, y por supuesto todas tus cosas personales. Trae poca cosa. Así no tienes que cargar peso. Después todo estorba. Si no tienes *mat* de yoga no te preocupes, acá conseguimos uno que no esté muy usado. La gente los trae y los deja en la escuela para no cargarlos de vuelta. ¡Ah! Cambia dólares en el aeropuerto, pero no muchos. Un abrazo y suerte. Acuérdate: no comas en la calle. No he encontrado taxi pero en cualquier momento te reservo uno. Gracias por ofrecer traerme algo pero lo que más quiero no me lo puedes traer. Hari om.

El vuelo estuvo bien. Normal. En la estación de Margao la cosa fue distinta. No más vieron llegar el autobús a la entrada, los pasajeros a mi alrededor salieron corriendo. En su afán las mujeres cargaban sus niños o los halaban por el brazo como sacos, allá iban los chiquitos, arrastrando los pies y de pronto separados del piso, desgarbados por sus madres apuradas. A uno se le cayó la cartera y luego una bolsa y las recogió casi en el aire, apenas deteniéndose en el trayecto. Parecía atajar trozos de sí mismo en pleno vuelo. Yo permanecí en el asiento plástico, estaba tan asombrada y al mismo tiempo tan clara de mi ineptitud para sobrevivir en aquella batalla. Nadie usó la puerta, que permaneció cerrada hasta el último momento. Los más ágiles subían por la ventana usando los cauchos como escalón o haciéndose la pata de gallina. Los menos atrevidos pero tal vez más astutos, catapultaban a los niños más allá de los cristales para que ocuparan los puestos primero. Otros lanzaban sus pertenencias por los aires esperando que cayeran en un asiento disponible.

Así permanecí, disfrutando de la vista y sintiéndome extranjera a pesar de los tres meses pateando el continente, mientras el autobús continuaba su recorrido poco a poco hasta la columna marcada con el número seis. Se abrió la puerta, el asistente del conductor se asomó y en medio del bullicio apenas pude escuchar su voz y el nombre del destino.

Resultado de mi embelezo con las prácticas locales de terminal de autobús: dos horas de trayecto en la mitad del pasillo, sentada sobre mi mochila o de pie para descansar la espalda. Llegué hecha una sopa. En Palolem un taxista me abordó pronunciando mi nombre y me dijo algo que no comprendí. Subí al auto.

Palolem es playa. Dos carreteras de tierra principales, una tienda de jugos y varios cafés y bares. Un mercado callejero que vende ropa y accesorios “muy indios” especialmente confeccionados para turistas: tallas en madera de deidades, inciensos de miel y sándalo, bolsos, zapatos, franelas con imágenes de Laksmi y de Ganesha a la manera de cualquier súper estrella de rock. Un mercado de frutas, varios cafés de Internet con aire acondicionado, una agencia de viajes que abre a partir de las seis de la tarde. Turistas ocasionales, habitantes locales que parecen turistas, y turistas que parecen haber llegado desde siempre y haberse quedado allí para siempre. Quien haya ido a Choroní sabe cómo es. Subes unos cuatro grados a Choroní y estás en Palolem. Si Choroní es seis Palolem es diez. Caminé hacia la costa sin dejar de chequear los puntos clave. Lo importante en cualquier lugar es dar con los puntos clave. Eso es todo.

La gente lucía cómoda, acalorada pero tranquila, a medio vestir. Casi todo el mundo parecía estar recién tatuado. Apenas pude intuir los diseños en un par de chicas con quienes me crucé, pues los llevaban cubiertos de crema protectora para el sol. Es curioso. Yo venía de resguardar mis brazos y vestir camisas largas, muchas veces me había visto obligada a velar mi cabeza sin importar el clima o el ánimo. Y ahora me encontraba rodeada de rollitos y abdominales ambulantes, de torsos desnudos sin complejos ni recatos. Así que pronto yo también me desvestía en plena calle, en la medida en que me acercaba a la arena y sentía que las sandalias y luego mis pies se enterraban en el suelo. Hacía muchísimo calor, pero a fin de cuentas a dos pasos estaba el mar.

Crucé a la izquierda y a unos quinientos metros me encontré con los palafitos. Uno dos tres de izquierda a derecha y subí las escaleras del que calculé era el de Erica. Entré anunciándome pero nadie respondió. Me senté en la cama. Me acosté en la cama. *Matter is energy, Energy is Light, We are all light beings*, Albert Einstein, era lo que decía un papel pegado con cinta adhesiva en una de las paredes de hoja de plátano. El mar me hace dormir. Me desperté sobresaltada por la voz de una mujer.

–¡Hari OM!

Una chica robusta y de piel muy curtida por el sol, enrollada en dos pareos iguales a los que recién había visto en el mercado pero bien desteñidos, me sonrió y juntó las manos ante su frente con una pequeña reverencia. Después de las dos primeras oraciones supe que mi amiga fugaz estaba aprendiendo a ver el aura.

– Puedo ver el de las plantas, de las vacas, de los perros. En ciertos casos el de los seres humanos. Con las personas es más difícil – agregó confidencialmente. Salimos a pasear a las orillas de la playa y en el recorrido se detuvo un par de veces y se quedó inmóvil frente a algún ejercicio. – El Maestro dice que hay que practicar con todo, con cualquier ser vivo. Que lo importante es practicar sin importar los resultados: "*practice, practice and all is coming*". Eso dice él.

Ahí estuve de espectadora, sintiendo el sol hirviendo en el cráneo y los pies progresivamente chamuscados, sin pronunciar una sílaba no fuese a interrumpirla en el momento cumbre. Si es que los hay o cuales serán, los momentos cumbre en la lectura del aura. Las dos veces tuve suerte, antes de que mis pies se volvieran medusas ella retomó la caminata.

– Apurada no se puede. Lo de la gente es más difícil. Amarillo vibrante y claro alrededor de la cabeza es inteligencia, sabiduría y éxito. Si el brillo, el tono o la ubicación cambian, el significado del color también. Amarillo vibrante alrededor del pecho puede indicar compasión, paciencia y deseo de entrega. Así que hay que ver bien. Te puedes equivocar y joderle la vida a alguien por decirle algo que no es.

Por eso – insistió – es que es tan importante practicar.

Nos paramos frente a un kiosquito de agua de coco, y seguimos por la arena. – ¿La habías probado antes?, –preguntó antes de dar un sorbo al coco. – ¿Viste que tiene carne dentro? Cuando vengamos de vuelta le pedimos que los abra. Ya vas a ver, – dijo orgullosa – te lo abren aquí mismo. – Y sin esperar respuesta continuó. – Bueno. Volviendo a lo otro. Si una persona pasa muy cerca puede robarte energía. Contigo no importa, – me tomó suavemente por el brazo – se nota que tienes buena vibra. Eres liviana. Pero tienes que estar pendiente, sólo te tocan e interrumpen el flujo. Y ahí es que vienen las enfermedades.

Mi aura estaba azul clara, demasiado clara: – No te tomes a juego el camino espiritual. – Y cierto rastro rosa hablaba de una despedida. – ¿Te has despedido de alguien últimamente?

– No me lo estoy tomando. Ni a broma ni en serio. No soy creyente. – No seguí, me mordí la lengua y cambié de tono: – Es que vine a la playa a descansar, estoy en una de relax.

– Ya vas a ver. Mucha gente llega así. – ¿Así cómo?, ¿diciendo verdades cojas?, pensé. – Pero tarde o temprano todo el mundo entiende. Por algo estás en la India, ya vas a ver, nadie llega hasta acá por casualidad. Todo es karma. Tengo una colchoneta de yoga extra. No está muy usada y no huele mal. Si quieres te la dejo. Pero dime, ¿cómo fue que llegaste al Sur?

– Si te contara llegas tarde al autobús.

– ¡Pero si faltan como seis horas!

– Por lo mismo, –le respondí sonriendo.

Las dos sabíamos que no le iba a contar nada. Mejor salir ilesa. Para zanjar el tema le dije que se dejara de cosas y que no me leyera más el aura, o al menos que no me contara lo que veía si es que veía algo. – A menos que veas un muerto muy cerca – le dije con intenciones de reírme. Las dos guardamos silencio.

– Qué lástima.

– ¿Cómo?

– Que qué lástima. Que me caes bien. Hubiese sido lindo tenerte de invitada. Es que voy con el maestro a la casa de Osho. Lo invitaron y él me eligió como acompañante. Salimos hoy y regresamos en quince días. No puedo dejar de ir. ¡De los doce alumnos me eligió a mí!

Uno sabe, uno siempre sabe. Era evidente que ella reconocía algo sospechoso en la historia, hablaba como excusándose. – Es que es toda una oportunidad, toda una experiencia, normalmente es carísimo, pero como voy con el maestro no tengo que pagar nada. – Al final agregó: – Perdona que te deje sola, yo sé que acabas de llegar, pero, ¿te imaginas? ¿Ir al ashram de Osho?

Y sí. Me imaginaba o más bien recordaba lo que había escuchado sobre sus orgías amparadas en el amor libre, las denuncias de abuso sexual y las normas de vestuario; todos tienen que ir del mismo color dependiendo de la hora, o del día. Eso cuando van vestidos, porque también hay fiestas nudistas. No mencionó nada de eso. O sí. Sólo lo de los colores. Explicó con los ojos desorbitados que hay tres casas de Osho en la India, que desde que se llega hasta que se sale se debe vestir de blanco o de vino tinto dependiendo de la hora y de la actividad en la que se participe, que hay horarios de sitting meditation, de walking meditation, de dancing meditation, que se hace karma yoga en la cocina y limpiando la casa o lavando la ropa de todos. Y que lo mejor son los bailes.

– ¿En serio nunca has escuchado sobre Osho?

– Ni idea.

– Está prohibido bailar con los ojos abiertos y si tropiezas con alguien lo tienes que tocar. Si te sientes a gusto te quedas y si no sigues. Todo con los ojos cerrados.

Terminó diciendo que los pisos y las paredes del ashram son de mármol negro y que uno de los tres templos tiene forma de pirámide.

– En ese sitio sueltas todo. Te limpias, te purificas, sales viendo el mundo distinto. ¿Sabes?, esos bailes te limpian la historia. Si pudiera te llevaría.

Cuando ya estábamos de vuelta en el palafito y con los cocos sin abrir, se puso a recoger sus cosas, según dijo, para hacerme espacio en el clóset. El clóset eran dos estantes de bambú. Todas sus pertenencias sumarían unas cinco prendas de ropa, un par de libros y dos tallas de sándalo. Me dejó un incienso que supuestamente venía del templo de Sai Baba.

– De noche deja encendida la luz de la entrada. El candado siempre puesto aunque vayas al baño solamente. Muy pendiente con las invitaciones, muy pendiente con la gente que te ofrece monte, que a veces viene adulterado. Fluye tranquila, este sitio es mágico, pero no te olvides: acá si estás sola, estás sola.

Yo me pregunté cuál sería la novedad, Palolem, Katmandú, Sierra Nevada del Cocuy. Así continuó, dándome indicaciones que al final no escuché aunque continué asintiendo mientras la miraba hacer y deshacer su equipaje.

– Hay muchos rateros de noche, abren la puerta y se llevan todo, dejan los cuartos de cabeza y totalmente vacíos. Yo igual lo pagué por el mes, el palafito; es más barato así, por mes. Así que no dejes que te cobren los cuatro días que faltan, mira que el señor es bien tramposo – y mientras tanto se agachó bajo la cama para sacar sus *props* de yoga. – ¡Qué cabeza! ¡Casi los dejo! ¿Te imaginas?, – dijo riéndose. Dos bloques de madera, una cobija y varias cintas enredadas. Pensé que parecían instrumentos de tortura, siempre me ha llamado la atención que usen cintas y cojines de arena, que se amarren en telares para estirarse correctamente.

– Buenísimo que te quedes, no te preocupes.

– ¿Cuánto falta por el resto de la semana? ¿Hasta cuándo pagaste? ¿Cuánto te debo?

– No, no me tienes que pagar nada. Te dejo esto – y me lanzó el mat, que cayó abierto mostrando los dos extremos corroídos y algo sucios o manchados; donde van los pies, supuse.

– No viajas con mucho – le dije riéndome cuando miré a mi alrededor el cuarto vacío y su mochila tan pequeña y holgada a pesar de lo mal que había guardado y vuelto a guardar todo. Eso compartimos al final del viaje: poca carga. La posibilidad de armar y desarmar una casa en cinco minutos. La posibilidad de llevarla a cuestas. La posibilidad de volver a empezar en cualquier sitio.

– Si no te has ido en quince días o algo así, vemos qué hacemos, –dijo la gordita sonriendo y cerrando los broches de su mochila para subirla a su espalda – cuando yo regrese. Si te quedas o te vas. Lo que quieras. Si es que vuelvo, – remató con una sonrisa y casi guiñando un ojo – *you never know.*

– Acuérdate que hay muchas maneras de cobrar favores, – le dije sin pensar. – A veces crees que vas de gratis a los sitios, pero no. Nada es gratis, – dije. Y pensé que ya que había soltado la lengua mejor soltarla completa. – Acuérdate. Estás sola. Si estás sola estás sola. – Y sonreí.

Y entonces pensé que en este viaje a todo el mundo lo veía una sola vez, que nadie repetía. Sólo hay personajes secundarios en esta historia, pensé. Al final me dejó un mat de yoga, de esa no me salvé, pero al menos no hizo muchas más preguntas. Caminó hacia la puerta pero giró su cuerpo hacia mí antes de cruzarla, juntó las palmas en el pecho e hizo una reverencia que en ella me pareció de lo más natural.

– Namasté.

Yo incliné la cabeza como reconociendo su gesto y sonreí. Luego me despedí con mi saludo occidental tan normal, sintiéndome torpe, huérfana, moviendo una mano hacia los lados. Señalando una esquina cercana a la cama dijo:

– Ah, cuando llueve se moja aquí. Yo pongo una toalla y luego la seco al sol.

Le tomé una fotografía con la mochila verde en la espalda y el mar atrás. Hari OM y el símbolo de la paz con la mano izquierda, o de la victoria, o de la cumbre, fue lo último que escuché y vi antes de que se perdiera tras la puerta vegetal. Parecía feliz.

Me encontré de nuevo acostada como una estrella, mirando el techo de paja tejida. El palafito quedó prácticamente vacío. Apenas una imagen de Hanuman en una pared, la frase de Einstein pegada en el espejo, una colchoneta de yoga color morado, la mía, supongo, y un pareo amarillo con mínimos símbolos OM en color rojo y en serie, enrollado en una esquina. Fotografié cada cosa y luego mis pertenencias sobre la cama. Hice un inventario de lo que había. Dos pantalones, tres franelas, las *flip flops* y el traje de baño. Un traje de baño con el que siempre viajo sin importar la altitud y el paisaje pues uno nunca sabe dónde le toca bañarse y con quien. Me quedaban también la música, el pasaporte, un pasaje de avión arrugado, el cristal de Roraima, el oso, algo de rupias y de dólares. Y la campana de los Yaks.

Nunca olvido a Clementina, la tortuga de un cuento que leí de niña, que lleva sobre su caparazón un cargamento de objetos obsequiados por su tortugo (regalos que ella no ha pedido ni quiere), y que se convierten en un peso insoportable. Un día no aguanta más. Harta del embalaje en que se ha convertido ella misma, deja la torre inútil a la orilla de un lago. Se va sola, dejando al tortugo, al caparazón y al peso imposible, nadando libre por las aguas. No vuelve más.

Así que allí en aquel palafito pensé que eso era todo. Cuando regresara a Caracas no tendría recuerdos del viaje, nada, ni una tela, ni una pashmina. Tantas que vi en Katmandú. Nada. Sólo la campana. Me di media vuelta y la saqué del tope de la mochila. Ahí estuve, jugando con ella, dando vueltas en la cama y mirando la nada, pensando y mirándome a mi misma con ironía al pensarlo, que mi austeridad era mi disciplina. Allí estaba yo, bajo el techo vegetal y frente al mar, como una estrella. Eso era todo.

Ahora me parece que el afán con el que había regalado más de la mitad de mis cosas y el descuido que revelaba la pérdida de la otra mitad, ponían en evidencia mi necesidad de liberarme de algo que supuestamente no pesaba, pero que seguía cargando. Por más que regalara ropa, equipos de montaña y libros, la mochila pesaba siempre igual. Me decía que si aquellos meses habían servido de algo era justamente para deslastrarme de lo que no es y no hace falta, para ser más libre. Esa era mi disciplina, mi austeridad. Si es que de la ausencia de cosas y de la huelga de recuerdos depende la libertad.

A la hora del almuerzo noté el revuelo. Me extrañó que nadie me hubiese anunciado el asunto y que yo misma no lo notara al llegar. El pueblo estaba enloquecido a cuenta de un eclipse de sol, y los turistas que parecían turistas y los habitantes que parecían turistas y los turistas que parecían locales (y en seguida yo también), buscábamos negativos o radiografías para usarlos como filtros. Algunos puestos del mercado los vendían a 100 rupias. Me compré una radiografía negrísima.

Caminé por la otra carretera de tierra hacia el vegetariano y pedí una hamburguesa (de lentejas) que sabía a gloria. Gracias a Dios por la salsa de tomates Heinz. De regreso me entregaron dos volantes anunciando una fiesta. *Midnight beach party*. En la arena unos cinco tipos vestidos de negro comenzaban a montar una tarima y pasaban cables de un lugar a otro. Qué calor. Arriba, rodeado de guirnaldas de flores, decía Om Shanti.

Caminé hacia el *hut*. La arena entraba a las sandalias así que me las quité. Sentí el masaje entre los dedos de los pies. Subí, entré y me cambié de ropa. Venía bajando las escaleras con mi traje de baño puesto, que descubrí bastante envejecido, con la *lycra* estirada y los colores desteñidos, muy pasado de moda, cuando me topé con un flaco subiendo al palafito de al lado. El traje de baño tenía al menos tres años. Yo jamás he sido playera. Hacía muchísimo calor.

Cuando llegó arriba se giró hacia mí, que había quedado inmóvil ante la perspectiva de pasar quien sabe cuántas noches con semejante flaco como vecino, y saludó haciendo el símbolo de la paz. Presenciar aquel gesto dos veces en menos de cuatro horas me pareció excesivo. Nadie es perfecto, me dije. El tipo llevaba unos lentes oscuros enormes. De mosca. Tenía en su haber al menos par de noches desbarrancado. Usaba una guaya dorada en el cuello, era bien blanco y tenía la espalda ligeramente curva y huesuda. Hay algo con India, no sé, la gente se destapa, será la ilusión de lejanía. Pero si ya no hay sitio que quede lejos. Lejos queda una cumbre, lejos queda el fondo del mar. No un país. Un país siempre queda cerca. Me cubrí con el pareo que llevaba como toalla y se revalorizó en segundos. Cómo pudo estirarse la *lycra* así. Después de las presentaciones respectivas nos sentamos cada quien en su escalera, hablamos del eclipse y me ofreció un negativo que tenía en la mano. Oferta a la que respondí mostrándole el mío. Entonces me ofreció un cigarrillo, que acepté. Me contó su itinerario, estaba recién graduado. Habló de sus impresiones del viaje, de las fiestas trance en Goa. Según, no le ven luz a las de Beirut. Habló de los indios.

– Son unos ladrones, siempre están viendo como joderte. No son inteligentes, y además siempre están tocándote. Muy desagradables. Demasiado sucios.

– El eclipse debe ser en cualquier momento, ¿no?

– ¿Tú has meditado? Yo nunca he probado, pero no sé, no creo que pueda quedarme mucho tiempo sin moverme. Yo soy muy activo, ¿ves? No creo que pueda estar sentado sin moverme. Sin pensar. ¿Cómo se hace para no pensar?

Yo subí los hombros y las cejas. No hablé porque él no esperaba respuesta.

– También quisiera hacer yoga pero no tengo colchoneta.

Me preguntaba era si sería buena idea entrar al mar en pleno eclipse. Un baño de sol y de luna a la vez, un baño de día y de noche a la vez. Pensé en los encuentros. En las diferencias. Pocas veces en la vida tienes la oportunidad de vivir en la noche y el día, dentro del mar.

–¡Ah! ¡Osho! ¡Tremendas rumbas! Fiestas sexys, – dijo cuando le expliqué sobre mi llegada y mi estadía en el palafito de la yogini. – Así que la gordita se fue, – me dijo. – Qué bueno que se fue, no era nada simpática.

Al comenzar el eclipse salí corriendo hacia el mar y me quedé en la arena mirando el cielo con mi radiografía protectora. Era increíble, se veía perfecto a través del papel. Un círculo tapando progresivamente el otro. La luna interponiéndose entre la tierra y el sol. Creo. Era realmente raro que la chica del palafito no lo mencionara antes de irse. Pensé en lo extraño del evento. Luego de otro paseo por la costa regresé a ducharme y cambiarme.

Esa noche me encontré al vecino en el bar. Durante el tiempo en que coincidimos, tres veces pronunció su nombre y tres veces me quedé en las nubes. No le entendía pero tampoco me interesaba saber. Total. Quién necesita nombres cuando no necesita recuerdos. El flaco, con su aire sexy y su desprecio por las cosas, con aquella mala educación que fue tomando forma y fuerza durante el resto de la noche, tenía lo suyo. Ahí estábamos en el bar. Techo de coco, sillas y mesas de madera, una barra también de madera, piso de arena.

Un pizarrón anunciando cocteles en tizas de colores: *indian delight, trascendental journey, trance party, Palolem dream, illumination power.* Pedí un shot de tequila y una Foster. Para él un *trascendental journey.* Otro shot y otra cerveza. Él un *indian delight.* Le gustaban los nombres, se reía de ellos pero tenía sus preferidos. Para mi asombro y mi tranquilidad a esa hora no habló mucho, nos quedamos mirando el paisaje, la gente y la noche. Iba todavía por la segunda Foster cuando me descubrí pensando en la gordita vidente del palafito. El vecino terminó su trago fondo blanco, se puso de pie y se fue a bailar con otra chica.

No sé cómo terminé en medio de una conversación sobre Kurt Cobain y Courtney Love. Hablaban sobre la responsabilidad de ella en el suicidio de él. Que la mujer lo había llevado al borde por celos, al parecer era una provocadora y lo hacía sufrir por gusto.

– Eran Sita y Rama, – dijo la alemana. – Kurt y Courtney son el mismo nombre. Se llamaban igual, los dos nombres eran un mismo ser.

– Después de Nirvana no ha habido nada que valga la pena, – dijo un italiano.

– Después del grunge, nada, – dijo otro.

– Stone Temple Pilots y Pearl Jam se quedan cortos, el grunge era Nirvana. Era Kurt.

– Ahora esta mierda. Puro techno, baladita pop, esa mierda.

El vecino me miraba desde lejos con media sonrisa. O menos, con una sonrisa que casi parecía una mueca. Me estudiaba de arriba a abajo. Yo le gustaba, eso estaba claro. O eso pensaba tener claro. No había terminado la Foster cuando él se puso de pie y se despidió. *See you tomorrow, honey.* Me quedé sentada, sintiéndome incómoda, traicionada por el desconocido y por mi intuición. Aunque esto último era lo de menos, no era de extrañarse, la intuición había pasado al último lugar entre mis habilidades del viaje. Molesta por mi falla de cálculo y también intimidada por la entrada de la noche en aquel lugar al que recién llegaba, pronto me levanté del banco y me fui a dormir.

Lo encontré en las escaleras de su palafito fumándose un cigarrillo. Su habitación era muy distinta a la mía. Parecía tener años viviendo allí. El lugar tenía cosas. Un mesón con dos botellas de licor transparente (una a medio consumir), un par de vasos, agua mineral. Un equipo de sonido portátil, varios cofres tallados en madera, una pipa de plata. Y tres libros, uno de ellos un diccionario hebreo-inglés.

Puso música, me parece que toda la noche sonó David Gray. Al principio yo me recosté de la pared pero pronto me cansé de estar de pie y me senté en una esquina de la cama. No me miraba, estaba ocupado desenvolviendo un paquete que sacó de su mochila. Lo colocó sobre el mesón y se dedicó a armar un tabaco. Esa tabla ahora me parece una mesa de operaciones. Sonaba David Gray, eso ya lo dije. Después de esa noche estuve escuchando aquella música durante semanas. Un mosquitero sobre la cama daba al lugar un aire tan exótico que de tan redundante resultaba cursi. El oleaje afuera se escuchaba con claridad. Alguna que otra voz, algunas risas pasaron cerca, y a su ritmo, el que el recorrido engorroso sobre la arena les permitía, se perdían a lo lejos, entre las olas. Bebí un vaso del licor transparente (no era tequila) y di dos fumadas al *joint* que armó allí mismo y que dijo que traía de su país. Eso fue todo: un trago y dos fumadas.

Al sentir el hormigueo en las manos intenté ponerme de pie. Quise frenar la inercia pero me sentí mareada así que me senté de nuevo. No hay nada peor que arrepentirse a medio camino. Siempre es mejor bailar al ritmo. Relajarse. No dije que me sentía mal, no estaba segura de sentirme mal. Pero no podía ponerme de pie y menos todavía bajar las escaleras. Pensé que el momento pasaría pronto, pero uno siempre sabe cuando lleva las de perder.

Entonces me sirvió un segundo vaso. Yo no quería más, pero cuando lo rechacé, el flaco se convirtió en alguien más. Boom. Ya sé que desde el comienzo el tipo parecía ser lo que iba siendo. A fin de cuentas lo que me había dado a tomar o a fumar me tenía en el centro de un remolino, y eso aparentemente lo tenía sin cuidado.

– ¡Pero si ya te lo preparé!, –me dijo cuando me negué. – ¡Qué aburrida! Pffff!, – y se batió molesto e indiferente a la vez. – Ya te lo preparé. Qué aburrida.

Sonriendo, respondí que un sorbo más. Como si pudiera elegir, como si todo estuviera en orden y yo fuera la misma de aquella tarde y él el egocéntrico y maleducado pero atractivo vecino recién llegado. Sólo uno, le dije sonriendo. Lo siguiente fue verme sin camisa. La falda puesta pero subida hasta el ombligo. El flaco adelante, atrás, sus manos explorando al principio y muy pronto recorriendo mi cuerpo con confianza. Me tenía de espaldas y luego boca abajo, yo no lograba decidir nada y no me importó. En algún momento me pregunté desde cuándo no sentía tanta humedad. Mi cuerpo se derretía entre las sábanas de aquella cama. Desde la vibración resbalosa y borracha agradecí en silencio. Mis nalgas se erizaban y endurecían al contacto con el cuerpo tenso del flaco. Casi no lograba ver su rostro. Mi pecho parecía crecer con cada pellizco, cada lamida. Mi abdomen se arqueaba como serpiente al sol.

De pronto busqué las caderas del flaco y con la misma habilidad que mostraba para someterme, se alejó. Su erección se me escabullía. Un par de veces logré tocarlo, recorrerla con mis manos y mi vientre por encima de los *jeans*, que seguían allí, él también continuaba vestido. Apreté sus caderas, sus nalgas durísimas. Mordí sus hombros. No sé cuántas veces me cubrí el rostro y grité, ni cuántas veces intenté rasgarle la espalda, ni cuánto tiempo estuve temblando bajo aquel manto traslúcido. En algún momento comenzó a hablar un idioma que me pareció áspero. *You know what I'm saying?* me preguntó. Y me dio dos nalgadas que no disfruté. Todo tiene su final, no lo he dicho yo.

– *I don't have condoms!*, dije sentándome de un salto, sintiéndome salvada en el último momento y a la vez lamentando mi falta de previsión. Cuando no tienes ideas fijas ni planes todo da más o menos igual, todo es lo que tenía que ser, dejas la vida o la noche a la suerte. Cara o sello. Condón o no condón. Noche larga o noche corta. Todo da igual. Él se rió, o me pareció que se reía y como burlándose me respondió:

– *Don´t worry, bitch. I'm not going to fuck you.*

Me relajé y terminé de dejarme llevar. *He's not going to fuck me.* No tenía miedo ni me sentía ofendida aunque sabía que algo andaba mal: aquella generosidad despiadada andaba mal. *Don`t worry bitch.*

Entre nalgadas y palabras incomprensibles comencé a comprender lo que decía. No lo que decía, lo que quería decir. El tono de voz es universal. Y ya. Punto. Eso es todo. Ni siquiera sé si llegó a desvestirse. Pero estoy casi segura que no. Cuando me desperté estaba sola en su cama. Lo primero que hice fue revisar el interior de mi cartera recién comprada en el mercado. Ahí estaba lo que tenía que estar, algo de rupias, doscientos dólares en *traveller checks* y llave del palafito. Sintiéndome culpable por la desconfianza y todavía con la memoria borrosa, con algo de dolor de cabeza y el cuerpo no sé si muy relajado o muy cansado, me vestí pensando que la noche había sido todo un éxito y a la vez reconociendo en mi mente una noción incómoda. Un insecto molestando que atribuí al trasnocho, a los tragos. El de la noche anterior había sido un buen tratamiento. Estaba más liviana. Me sonreí en el espejo pequeño que colgaba de la pared. Me alisé la falda. Lista para una Cocacola Light y un día de playa. Bajé las escaleras del *hut*, caminé sobre la arena mirándome los pies. Me sale *pedicure* y *foot massage*.

Al subir mis escaleras encontré la puerta entreabierta. Di un par de pasos hacia atrás. Me asomé desde el balconcito hacia la arena.

Pedí auxilio. Una botella plástica de agua mineral que estaba en la mesa de noche ahora estaba afuera, abierta y vacía, pisada como un acordeón.

– ¡Ey! ¿Qué pasa aquí?, – grité con furia. – ¿Quién está aquí?

De frente. Se mira de frente. El miedo se mira de frente. Subí sobre las puntas de mis pies y miré hacia el otro lado. Grité con más fuerza antes de entrar al cuarto sintiendo los muslos como gelatina.

– ¡Ey!

Me agaché, miré bajo la cama. Corazón latiendo fuerte. Cinco metros cuadrados se recorren con la vista en dos segundos. Mis cosas estaban regadas. Se llevaron mi cámara. Se llevaron las bolsas con los regalos recién comprados en el mercado, revolvieron todo. La tapa de la mochila estaba abierta. Pasaporte, la cajita de caramelos sin caramelos. No había nada. Lloré. Di vueltas de un lado al otro, recorrí el *hut* mil veces intentando aplacar mi cabeza mientras lanzaba lo que quedaba sobre la cama. Pensé en Erica diciendo cuidado con los rateros. En el miedo después del miedo. Fue entonces cuando vino a mi mente el vecino, pero los pensamientos parecían regados también. Salí hacia el balcón, bajé las escaleras y vomité. Caminé hacia el mar, me lavé la cara. Terminé acurrucada en mi cama, sobre las sábanas arrugadas. Esa noche escuché música y ruidos en el palafito del vecino. Toqué la puerta pero nadie abrió. Pensé que si dejaba la luz prendida y la puerta abierta no podía pasar nada más. Cuando desperté al día siguiente la esquina de la entrada se había mojado.

Lo que se perdió no hace falta. "*Matter is energy, Energy is Light, We are all light beings*" Albert Einstein. Una vez recogido el caos, después de darme un baño y recomponerme, salí por un café. En una mesa encontré al vecino desayunando. Me acerqué con una sonrisa cómplice que él no devolvió. Intenté darle un beso y alejó el rostro, mirando hacia los lados como si le debiera algo a alguien. Me invitó a comer y le dije que no gracias. No tengo hambre. Le conté que unos tipos habían entrado a mi cuarto.

– Se llevaron todo, casi todo. –A veces uno no quiere saber. Él no me miró, no respondió y no preguntó si necesitaba algo. Para mí, lo único seguro a esas horas era que el flaco no era un hombre amable. La noche anterior se convirtió en otro capítulo para lanzar al mar y dejar en aquel continente, como debía ser y como había planeado desde el comienzo. Era hora de moverse. El tiempo estaba pasando muy rápido. Palolem se estaba terminando, también. Aunque no quería pensar en la noche anterior ni en el revoltijo al que habían quedado reducidas mis tres pertenencias, el insecto no dejaba de rondar. Comencé a notar los primeros orificios. Sentí una punzada en la boca del estómago, algo ácido. *I´m not going to fuck you* y en efecto *he didn´t. Dont worry, bitch.* Caminé hasta la agencia de viajes y cambié uno de los cheques. Miedo en retroactivo. Vives cuidándote de un fantasma sin rostro como si el miedo quedara lejos, como si la mala hora fuera siempre oscura y tenebrosa. Y al final te salvas por casualidad. Cuando el precipicio me quedó demasiado cerca cambié de tono, cambié de historia y cambié de plan. No hay voz, no hay recuerdo no hay insecto. Punto. Es lo que es. Se viaja como se puede, se llega hasta donde se puede. Me fui al palafito. La puerta de al lado estaba abierta de par en par y una mujer de la limpieza vaciaba lo que quedaba. Afuera en las escaleras la botella de alcohol con sus letras hebreas, una bolsa plástica de basura. Y el mat de yoga de Erica, que yo no le había regalado.

De vez en cuando reviso, organizo los eventos de esa noche, los ordeno cronológicamente. A veces aparece algo nuevo, a veces me parece que entiendo y que sé. Pero me pierdo. No es novedad, últimamente no soy muy buena siguiendo pistas. Al día siguiente armé mi mochila, que a esas alturas parecía una uva pasa, prácticamente era sólo el armazón, y me regresé a Mumbai. Cuatro días más tarde miré en las noticias de BBC que una inglesa de diecisiete años había aparecido muerta en Palolem. La encontraron unos pescadores a la orilla de la playa. En la noticia aparecía su foto, la del pasaporte. Tenía dos meses viajando sola y tres días en Palolem. Según la policía pocas horas antes de su muerte había estado conversando con un turista jíbaro y un bartender. Testigos la vieron saliendo del lugar en compañía de los dos. La habían drogado y violado y dejado a la orilla del mar.

Imaginé sus cabellos mojados, aquel rubio oscurecido de tanta noche, enredado entre arena y algas. Su piel muy roja después de aquellos únicos y últimos tres días de sol indio, las marcas de su traje de baño, su pecho de un blanco transparente. Los padres ya estaban en el pueblo, habían reconocido el cuerpo y se preparaban para llevarlo de vuelta a Inglaterra. De Erica no supe nada más. Allá se quedó su llave, su candado bien cerrado y su frase en la pared.

Novedades:

C. M. no récord – Juan Álvarez
Carlota podrida – Gustavo Espinosa
El amor según – Sebastián Antezana
Exceso de equipaje – María Ángeles Octavio
Hormigas en la lengua – Lena Yau
Intrucciones para ser feliz – María José Navia
La ciudad de los hoteles vacíos – Gonzalo Baeza
La autopista: the movie – Jorge Enrique Lage
La soga de los muertos – Antonio Díaz Oliva
La Marianne – Israel Centeno
Las islas – Carlos Yushimito
Médicos, taxistas, escritores – Slavko Zupcic
Moscow, Idaho – Esteban Mayorga
Praga de noche - Javier Nuñez
Puntos de sutura – Oscar Marcano
Que la tierra te sea leve – Ricardo Sumalavia

www.sudaquia.net

Otros títulos de esta colección:

Acabose – Lucas García
El azar y los héroes – Diego Fonseca
Barbie / Círculo croata – Slavko Zupcic
Bares vacíos – Martín Cristal
Blue Label / Etiqueta Azul – Eduardo J. Sánchez Rugeles
Breviario galante – Roberto Echeto
Con la urbe al cuello – Karl Krispin
Cuando éramos jóvenes – Francisco Díaz Klaassen
Desde Alicia – Luis Barrera Linares
El amor en tres platos – Héctor Torres
El espía de la lluvia– Jorge Aristizábal Gáfaro
El fin de la lectura – Andrés Neuman
El inquilino – Guido Tamayo
El Inventario de las Naves – Alexis Iparraguirre
El síndrome de Berlín – Dany Salvatierra
El último día de mi reinado – Manuel Gerardo Sánchez
Experimento a un perfecto extraño – José Urriola
Florencio y los pajaritos de Angelina su mujer – Francisco Massiani
Goø y el amor – Claudia Apablaza

Colección Sudaquia

Hermano ciervo – Juan Pablo Roncone

Intriga en el Car Wash– Salvador Fleján

La apertura cubana – Alexis Romay

La casa del dragón – Israel Centeno

La fama, o es venérea, o no es fama – Armando Luigi Castañeda

La filial – Matías Celedón

La huella del bisonte – Héctor Torres

Nostalgia de escuchar tu risa loca – Carlos Wynter Melo

Papyrus – Osdany Morales

Punto de fuga – Juan Patricio Riveroll

Sálvame, Joe Louis – Andrés Felipe Solano

Según pasan los años – Israel Centeno

Tempestades solares – Grettel J. Singer

Todas la lunas – Gisela Kozak

Made in the USA
Middletown, DE
02 July 2016